HERNANDES DIAS LOPES

PANORAMA DA HISTÓRIA CRISTÃ

AS INTERVENÇÕES DE DEUS NA HISTÓRIA *Edição revisada e atualizada*

1ª edição: outubro de 2018
2ª reimpressão: maio de 2023

REVISÃO
Josemar de S. Pinto
Raquel Soares Fleischner

DIAGRAMAÇÃO
NLopez Comunicação

CAPA
Jonatas Belan

EDITOR
Aldo Menezes

COORDENADOR DE PRODUÇÃO
Mauro Terrengui

IMPRESSÃO E ACABAMENTO
Imprensa da Fé

EDITORA HAGNOS LTDA.
Rua Geraldo Flausino Gomes, 42, conj. 41
CEP 04575-060 — São Paulo, SP
Tel.: (11) 5990-3308

E-mail: hagnos@hagnos.com.br
Home page: www.hagnos.com.br

Editora associada à:

Dados Internacionais de Catalogação na Publicação (CIP)
Angélica Ilacqua CRB-8/7057

Lopes, Hernandes Dias

Panorama da história cristã: as intervenções de Deus na História — edição revisada e atualizada / Hernandes Dias Lopes. — São Paulo: Hagnos 2018.

ISBN 978-85-7742-226-5

1. Bíblia - Introduções
2. História eclesiástica
3. Protestantismo - História
4. Igrejas protestantes - Brasil
5. Reavivamentos
I. Título

18-0633 CDD 270

Índices para catálogo sistemático:
1. Cristianismo - História 270

SUMÁRIO

Dedicatória

Dedico este livro ao reverendo Adão Carlos do Nascimento, amigo precioso, pastor de almas, conselheiro sábio, escritor de vanguarda, homem segundo o coração de Deus.

Prefácio

Este livro ajudará você em seus conhecimentos gerais e também irá abençoá-lo. O autor é talentoso, e o assunto é interessante do princípio ao fim. Creio que você o usará várias vezes para consultas. Há muitos dados importantes, necessários e edificantes.

Sempre sonhei com uma obra que fosse direto ao assunto, contando os fatos sem excesso de palavras, mas com clareza e concisão. O sonho se tornou realidade em *Panorama da história cristã* (antigo *Quando Deus intervém*), escrito pelo rev. Hernandes Dias Lopes. O livro é para todos e mostra as intervenções soberanas de Deus na história do começo ao fim.

A síntese da história bíblica, Antigo e Novo Testamentos, nos conduz do Gênesis ao Apocalipse. É emocionante ver quanto se aprende e se recorda em tão poucas páginas. O autor usa a precisão do bisturi do mais habilidoso cirurgião plástico — corta sem deixar marcas.

Você fará uma peregrinação pelas páginas da história da igreja que lembra bem a síntese de Robert Hastings Nichols. Porém, com brilho próprio o autor nos mostra o essencial em tom interpretativo, com sabor bíblico e teológico. Há mensagens preparadas sobre os cinco pontos do calvinismo e sobre o puritanismo que muito ajudarão o leitor. Leia o livro e marque esses importantes capítulos.

Se o leitor é afeito aos movimentos missionários na história da igreja, aos grandes avivamentos e reavivamentos de nossos dias, está lendo o livro certo. O autor nos leva pelas páginas da história até a ordem cronológica da chegada das principais denominações evangélicas ao Brasil.

O rev. Hernandes Dias Lopes é um pregador apreciadíssimo. Conferencista solicitado no Brasil e no exterior, é um homem de Deus, simples, humilde, alegre e bom. Vejo-o como alguém que Deus está usando para trazer um reavivamento bíblico, integral e equilibrado ao Brasil.

REV. GUILHERMINO CUNHA

Introdução

Falar sobre as intervenções soberanas de Deus na história é tanger um assunto inesgotável. A terra é palco da ação incontestável da mão onipotente de Deus. Toda a terra está cheia da sua glória. Cada amanhecer e cada ocaso proclamam a existência de Deus. A sua mão está presente no céu estrelado e plácido e no fragor da tempestade; no regato de águas tranquilas e nas ondas encapeladas do mar. Vemos a marca da presença de Deus na flor mimosa e aveludada, nos prados farfalhantes e nos montes alcantilados, empinados aos céus. Deus está em toda parte. Suas digitais podem ser vistas na singularidade de uma gota de orvalho, bem como nos cenários multiformes das nuvens que dançam nas alturas ao sabor do vento. Deus se revelou na criação majestosa, pois os céus proclamam a glória de Deus e o firmamento anuncia as obras de suas mãos (Salmos 19:1). Deus se revelou na consciência do homem (Romanos 2:15). Deus se revelou, de forma especial, em sua palavra, mostrando-nos sua graça (2Timóteo 3:16,17). Deus se revelou, sobretudo, em seu Filho unigênito (Hebreus 1:1). Por isso, rechaçamos o ateísmo, a vertente filosófica que nega a existência de Deus. Só os insensatos, que têm olhos, mas não veem, se recusam a crer na existência de Deus (Salmos 14:1).

Repudiamos, da mesma forma, o agnosticismo, que prega a impossibilidade de conhecer a Deus. É óbvio que o homem não pode conhecer a Deus por sua própria investigação. Só conhecemos a Deus porque ele se revelou. E revelou-se de forma majestosa e eloquente. Aqueles que negam a existência de Deus ou a possibilidade de conhecê-lo estão prisioneiros de uma cegueira moral e espiritual, muito mais do que por uma cegueira intelectual. O grande bandeirante do cristianismo, o apóstolo Paulo, homem de cultura invulgar e mente peregrina, afirmou:

> Porque os atributos invisíveis de Deus, assim o seu eterno poder, como também a sua própria divindade, claramente se reconhecem, desde o princípio do mundo, sendo percebidos por meio das coisas que foram criadas. Tais homens são, por isso, indesculpáveis (Romanos 1:20).

Rejeitamos, de igual modo, o panteísmo, que nega a existência de Deus como um ser pessoal. O panteísmo confunde Deus com o universo, e o criador, com a criação. Deus e a obra criada são a mesma coisa. Tudo é Deus, e Deus é tudo. O criador não é diferente da criação nem independente dela.

Refutamos, outrossim, o deísmo, que nega a imanência de Deus. Os pensadores deístas afirmam que Deus é como um relojoeiro que, tendo fabricado um relógio, dá corda nele e deixa-o trabalhando sozinho. Deus está fora do universo e distante dele. É inacessível. É insensível. É elevado demais para se importar. Deus não intervém na obra criada.

Conhecer a história é fazer uma leitura dos atos de Deus. O universo não é fruto da geração espontânea. O mundo não pariu a si mesmo. Ele foi criado por Deus (Gênesis 1:1; João 1:3). A matéria não é eterna como pensavam os gregos. Este mundo é formado de matéria e energia. Matéria e energia não criam a si mesmas. Este mundo é governado por leis. Leis não criam a si mesmas. Deus criou o universo e estabeleceu leis para governá-lo.

O universo não surgiu de uma explosão cósmica. A teoria do *big-bang* não está calçada com a verdade. O caos não produz o cosmos.

A desordem não produz a ordem. Seria mais fácil crer que, jogando ao espaço um bilhão de letras, elas caíssem como uma enciclopédia do que acreditar que uma explosão deu origem a esse vasto universo com movimentos tão precisos e leis tão exatas. Nosso planeta não está onde está por acaso. Se estivéssemos mais longe do sol, morreríamos congelados. Se estivéssemos mais perto do sol, morreríamos queimados. A lua, a faxineira da terra, não está onde está por acaso. Sem a lua não teríamos o fenômeno das marés e, se não houvesse o fenômeno das marés, nossas praias se encheriam de lixo e a vida seria impossível na terra. Estamos convictos de que é preciso ter mais fé para ser um ateu do que para ser um crente.

O universo não é produto de uma evolução de milhões e milhões de anos. Em 1859, Charles Darwin, publicava em Londres o seu livro *A origem das espécies*. De lá para cá, a teoria da evolução tem sido ensinada como uma verdade científica nas escolas e universidades. Porém, essa teoria não tem o amparo da verdade. Dr. Marshall Nirenberg, prêmio Nobel de Biologia, fez uma das mais fantásticas descobertas no século passado. Descobriu que somos um ser programado geneticamente. Somos computadorizadamente programas. Descobriu, ainda, que temos mais de sessenta bilhões de células vivas em nosso corpo e que cada uma delas possui cerca de 1,70 metro de fita DNA. Se esticarmos a fita DNA de nosso corpo, teremos 102 trilhões de metros de fita DNA, 102 bilhões de quilômetros de fita DNA. Esse prodígio que é o nosso corpo não é obra do ocaso nem mesmo de uma evolução de milhões e milhões de anos, mas a obra-prima do criador.

Muitos estudiosos acreditam que o maior conflito hoje não é mais entre a teologia e a ciência, mas entre a teologia e a história. As atrocidades do século 20 deixaram o mundo atordoado. No auge do humanismo, besuntado de refinado conhecimento, o homem não foi domesticado pelo saber, mas tornou-se um monstro ainda mais perigoso. Fomos atingidos por duas sangrentas guerras mundiais. Mais de cem milhões de pessoas trucidadas sem nenhuma piedade. Porém, mesmo fuzilados por violência tão hostil, podemos ver a mão de Deus na história, aplicando seu juízo a uma geração que virou as costas para ele.

O Deus criador agiu e tem agido de forma extraordinária na história, fazendo grandes prodígios que enaltecem o seu incomensurável poder ou aplicando seu santo e justo juízo. Deus emudece a voz dos céticos. Todos aqueles que conspiram contra a verdade irrefutável de que Deus é o criador, mantenedor e juiz de toda a terra andam na contramão da história. Os feitos de Deus na história são inegáveis.

Foi Deus quem inundou a terra com um dilúvio. Foi Deus quem confundiu as línguas dos homens na torre de Babel. Foi Deus quem enviou, por intermédio de Moisés, dez pragas ao Egito, desbancando todas as divindades daquele poderoso império, arrancando de lá seu povo com mão forte e poderosa. Foi Deus quem mandou o maná do céu durante quarenta anos para sustentar toda a multidão de israelitas no deserto e fez brotar água da rocha. A maneira milagrosa como Deus sustentou seu povo nos quarenta anos de peregrinação no deserto é uma prova irrefutável de seu poder. A maneira paciente como Deus suportou seu povo nesses anos é prova inquestionável de sua misericórdia. A maneira vitoriosa como Deus introduziu esse povo na terra prometida é evidência eloquente de sua graça.

Foi Deus quem deu sabedoria a Salomão para governar, destreza a Davi para guerrear e forças a Sansão para lutar. Foi Deus quem deu poder a Elias para confrontar os profetas de Baal no monte Carmelo, respondendo-lhe com fogo do céu, para que a nação apóstata retornasse ao Senhor. Foi Deus quem revestiu de poder a Eliseu para fazer grandes milagres em tempo de apostasia.

Foi Deus quem fez a vara seca de Arão florescer, a mula de Balaão falar e ordenou ao grande peixe engolir Jonas, o profeta fujão. Foi Deus quem protegeu o remanescente fiel para que por meio dele viesse ao mundo o seu Filho unigênito, o Messias prometido.

Jesus Cristo é a suprema revelação de Deus. Ele é o Deus encarnado. Ele é a exegese de Deus. Ele é a expressão exata do ser de Deus, o resplendor da sua glória. Nele habita corporalmente toda a plenitude da divindade. Ele veio manifestar Deus. Tem os mesmos atributos de Deus e realiza as mesmas obras. Ele fez maravilhas para manifestar a glória do Pai. Por meio dele os coxos andaram, os cegos viram, os surdos ouviram, os mudos falaram, os leprosos foram purificados, os cativos foram libertos, os mortos ressuscitaram. Sua vida e suas obras testificam que Deus trabalha até agora.

Ao examinar este livro, você verá uma síntese da história do povo de Deus, desde o Éden até os nossos dias. Não pretendemos ser exaustivos. Buscamos apenas uma linha mestra para nos dar uma visão cronológica clara dos grandes acontecimentos que marcaram a humanidade.

Esta obra intenciona auxiliar aqueles que têm pouco tempo para compulsar os volumosos livros de história. Este livro é o clamor de muitos irmãos, em várias partes do Brasil, que me pediram para colocar esse conteúdo no papel, visto que já me ouviram falar deste assunto em palestras. Esta despretensiosa obra é, portanto, o resgate de um compromisso. É um resumo, uma visão panorâmica, um esboço do que chamamos de as intervenções soberanas de Deus na história.

1

Uma sinopse da história bíblica

Tudo começou no princípio. Antes do início, só existia Deus. Ele nunca deixou de existir; existe desde a eternidade. Ele não teve origem; é a origem de tudo. Ele não foi criado; é o criador de todas as coisas. Ele não passou a existir; é o Pai da eternidade. A eternidade é um atributo exclusivo de Deus. O pensador grego Aristóteles, no livro *As categorias de Aristóteles*, diz que só compreendemos as coisas dentro de nossas categorias de tempo, espaço e tamanho. Entendemos tempo; eternidade, não. Se tirarmos um dia de um milhão de anos, não teremos mais um milhão de anos; mas, se tirarmos um milhão de anos da eternidade, ainda teremos a eternidade. Eternidade não é tempo. Só Deus é eterno! Só ele preexiste ao tempo, está fora do tempo e governa o tempo. Deus é a causa de todos os efeitos. Ele é o Alfa e o Ômega de tudo o que existe. Dele, por meio dele e para ele são todas as coisas.

No princípio, Deus criou os céus e a terra. No sexto dia, Deus criou o homem à sua imagem e semelhança e, do homem, criou a mulher. Adão e Eva foram criados perfeitos, puros e inocentes. Eles tinham plena comunhão com Deus. Viviam deleitosamente no jardim de Deus, como mordomos da criação de Deus. Eles, porém, caíram em pecado, e toda a raça humana foi precipitada nesse abismo de depravação total, pois todos estávamos em Adão (Romanos 5:12). A queda de nossos pais foi a maior tragédia da história. Um abismo foi aberto entre o homem e Deus, pois o pecado faz separação entre o homem e Deus. O pecado afastou o homem de Deus, do próximo, de si mesmo e da própria natureza. Esta tornou-se hostil ao homem. Agora, ele precisava comer o seu pão com o suor do seu rosto. A terra benfazeja agora produz espinhos, cardos e abrolhos.

Adão e Eva tiveram dois filhos: Caim e Abel. Por inveja, Caim matou o irmão, tornando-se o primeiro homicida e fratricida da história. Mais tarde, Adão e Eva tiveram outro filho: Sete. Dele começou a surgir uma descendência santa que se voltou para Deus. Não tardou, porém, que a terra se enchesse de maldade e violência. Deus, então, resolveu eliminar da face da terra o homem que ele havia criado. Mas havia um justo: Noé. Por isso, Deus derramou juízo por meio do dilúvio, salvando Noé, sua mulher e seus três filhos — Sem, Cam e Jafé — com suas respectivas esposas, em uma arca construída por eles.

Por meio dos filhos de Noé, Deus recomeçou o povoamento da terra, dando início aos diversos povos. Sem torna-se o pai das nações semitas, Cam torna-se o progenitor das nações africanas e asiáticas e Jafé, o tronco das nações europeias.

Mais tarde Deus escolhe uma família para formar o povo que seria o instrumento para trazer ao mundo o Messias prometido. Ele chama Abrão de Ur dos caldeus. Este deixa sua terra e sua parentela e torna-se um peregrino da fé, levantando altares a Deus por onde passava. Seguiu com Abrão seu sobrinho Ló, que veio a ser pai de duas nações: os amonitas e os moabitas.

Quando Abrão saiu de Harã, tinha 75 anos. Deus prometeu que ele teria um filho, o filho da promessa, e seria pai de numerosa nação. E nele seriam benditas todas as famílias da terra. Abrão esperou onze anos sem que a palavra de Deus se cumprisse. Então, Sara, sua mulher, deixando de crer na promessa divina, entregou sua serva Hagar para coabitar com

Abrão. Nasceu assim Ismael, que veio a ser pai de numerosa nação, o povo árabe, inimigo histórico do povo de Israel.

Quando Abrão estava com 99 anos, Deus lhe apareceu e ordenou--lhe sair de sua cabana e contar as estrelas do céu. Então lhe disse que sua descendência seria tão numerosa quanto as estrelas do céu e a areia do mar. Mas também que sua posteridade seria escrava por um período de 430 anos.

Deus muda o nome de Abrão, grande pai, para Abraão, pai de numerosa nação, quando o filho da promessa ainda não havia nascido. Estava Abraão com 100 anos, e sua mulher, Sara, com 90, quando Isaque nasceu. Isaque aos 40 anos casou-se com Rebeca, que era estéril. Depois de vinte anos de casados, Rebeca foi curada, e nasceram-lhes dois filhos gêmeos: Esaú e Jacó. Esaú tornou-se pai dos edomitas, e Jacó, que na sua conversão recebeu o nome de Israel, tornou-se pai dos israelitas.

Jacó teve doze filhos e uma filha. Por meio de José, o penúltimo filho, a família de Jacó mudou-se para o Egito com setenta pessoas. Lá habitaram a terra de Gósen, a mais fértil da região. Essas setenta pessoas se multiplicaram de forma espantosa. Depois de quatrocentos anos no Egito, saem de lá, sob a liderança de Moisés, com seiscentos mil homens, fora mulheres e crianças, ou seja, cerca de dois milhões de pessoas.

A peregrinação pelo deserto rumo à terra prometida, que deveria ser feita em três meses, leva quarenta anos por causa da incredulidade do povo. Dos doze espias que foram conhecer a terra prometida, dez voltam com um relatório pessimista e insuflam e amotinam o povo contra Deus e Moisés. Diante dos gigantes daquelas terras, sentiram-se gafanhotos e apequenaram-se, duvidando do poder de Deus. Então Deus os castigou severamente, condenando todo aquele povo a perecer no deserto, permitindo que apenas Josué e Calebe, os espias crentes, entrassem na terra prometida.

O povo de Israel andou em círculos no deserto durante quarenta anos: um ano para cada dia em que espiou a terra. O deserto torna-se o maior cemitério do mundo, onde perece toda aquela geração que saiu do

Egito, exceto os dois homens que ousaram confiar em Deus, a despeito dos gigantes.

Por que Moisés não conduziu o povo na entrada da terra de Canaã, após quarenta anos de abnegada liderança? Por duas razões: primeiro, porque desobedeceu a Deus, ferindo a rocha em vez de falar a ela, como Deus havia dito. Segundo, porque Moisés representa a lei, e a lei não pode salvar-nos, ou seja, não pode conduzir-nos à Canaã celestial. O propósito da lei é conduzir-nos a Cristo, que estava simbolizado na rocha que Moisés feriu. É Cristo quem nos salva. É ele quem nos introduz na terra prometida. Josué, o substituto de Moisés, foi quem conduziu o povo de Deus a Canaã. Os nomes Josué e Jesus têm o mesmo significado: Deus salva.

Após os quarenta anos de peregrinação, temos sete anos de conquista da terra sob a liderança de Josué, mas ainda muita terra restou para ser conquistada (Josué 13:1). Josué, servo de Moisés, introduziu o povo na terra prometida por um chamado de Deus e por uma capacitação extraordinária.

Após a morte de Josué, inicia-se uma longa fase de 330 anos de governo teocrático, chamada de período dos juízes. Foi um tempo de grande instabilidade espiritual e de altos e baixos na vida de Israel. Pode ser assim compreendido: pecado-juízo-escravidão-arrependimento-libertação-restauração/pecado-juízo-escravidão-arrependimento-libertação-restauração. No tempo dos juízes, o povo fazia o que dava no coração. Por causa da dureza do coração do povo de Israel, este foi oprimido por muitos inimigos. Nesse tempo Deus levantou líderes de grande envergadura, como Gideão, Jefté, Sansão e Samuel.

Depois desse longo período, veio uma nova fase: a monarquia. O povo de Israel, olhando para as nações vizinhas, pediu um rei. O povo não queria mais que Deus governasse sobre ele. Samuel, o último juiz, unge então Saul como rei sobre Israel.

Saul governa por quarenta anos. Começa bem e termina mal. Abre as cortinas do seu governo com humildade, mas depois rende-se à soberba, à crueldade e, finalmente, à rebeldia e à apostasia. Depois dele, Davi reina em seu lugar também por quarenta anos, transferindo a capital de Israel de Hebrom para Jerusalém. Seu governo é bem-sucedido. Davi fortaleceu seu reino e tornou-se o mais destacado rei de Israel. Ajuntou fortunas, conquistou terras, venceu exércitos, andou com Deus. Foi um homem segundo o coração de Deus. Mesmo pecando gravemente contra Deus, contra sua família e contra o seu povo, arrependeu-se e foi perdoado por Deus. De sua linhagem veio o Messias. Jesus foi chamado de Filho de Davi.

Após sua morte, Salomão, seu filho, reina em seu lugar por quarenta anos. Pediu a Deus sabedoria, e Deus lhe deu sabedoria e riquezas. Tornou-se um homem notório em seu tempo. Edificou o templo de Jerusalém e desfrutou de paz em seu governo. Porém, por causa de suas muitas mulheres, tem o coração corrompido. Só na velhice Salomão se volta para Deus e se arrepende de seu pecado.

Assim, tivemos 120 anos de reino unido. Saul caiu nas malhas da feitiçaria, Davi no laço do adultério e Salomão nas garras da idolatria. Deus atendeu ao desejo do coração do povo, dando-lhe reis, mas o povo teve de sofrer as consequências dessa insensata escolha.

Após a morte de Salomão em 931 a.C., o reino foi dividido porque seu filho Roboão recusou-se a levar em conta o clamor do povo para aliviar os impostos abusivos. A pompa, o fausto e o luxo do governo salomônico eram sustentados pelos braços dos trabalhadores. Eles, estrangulados por impostos escorchantes, aproveitaram a transição de governo para reivindicar as mudanças. Como não lograram êxito, não puderam caminhar com o novo rei. Assim, dez das doze tribos conspiraram contra Roboão e seguiram um novo líder, Jeroboão I, formando o Reino do Norte, cuja capital veio a ser Samaria.

O Reino do Norte durou de 931 a.C. a 722 a.C., ou seja, 209 anos. Esse reino teve dezenove reis, oriundos de oito diferentes dinastias. Nenhum desses reis foi piedoso. Todos se desviaram de Deus e seguiram os caminhos de Jeroboão I. Este rei resolveu usar a religião por interesses políticos.

Temendo que seus súditos buscassem Jerusalém para adorar no templo e fossem assim atraídos politicamente pelos reis de Judá, Jeroboão I resolveu construir templos no Reino do Norte em Betel, Gilgal e Berseba. Neles colocou um bezerro de ouro e induziu o povo a adorá-lo como se fosse o próprio Deus.

Todos os dezenove reis do Reino do Norte andaram por esse caminho. Todos foram ímpios e perversos. Nenhum buscou a Deus. O Senhor levantou nesse tempo alguns profetas para denunciar o pecado dos reis, da nação e dos profetas da conveniência, assim como dos sacerdotes subornados por dinheiro. Deus levantou nesse tempo os profetas Amós, Oseias e Miqueias. Eles, corajosamente, confrontaram os desvios da nação, desde o palácio às choupanas, desde os templos rivais ao comércio, desde as ruas aos campos.

Eles denunciaram a corrupção política e ergueram a voz contra a religião prostituída. Lançaram o libelo acusatório de Deus contra os poderes executivo, legislativo e judiciário que se haviam corrompido. Denunciaram a injustiça social e a opressão econômica. Convocaram o povo ao arrependimento, mas suas mensagens caíram em ouvidos surdos.

No reinado de Acabe, por intermédio de sua mulher Jezabel, foi disseminada em Israel a perniciosa crença em Baal, o deus cananeu da prosperidade. Nesse tempo, Deus levantou o profeta Elias para desmascarar essa divindade pagã e deitar por terra a credibilidade do ídolo abominável. Ainda nesse reino, Deus chamou Eliseu para substituir Elias e realizar um ministério prodigioso. Mas, como Israel não quis ouvir a voz de Deus, o Senhor usou a linguagem da vara e trouxe a Assíria contra a nação de Israel. A Assíria foi a vara da ira de Deus contra Israel. Era um império expansionista, guerreiro e sanguinário. Sempre que dominava um povo, praticava barbáries e atrocidades contra os dominados. Normalmente, ao entrar numa cidade ou vila, deixava os corpos mutilados, empilhando cabeças à porta das cidades conquistadas, expondo as pessoas à mais amarga ignomínia.

Após levar o povo do Norte para o cativeiro em 722 a.C., o rei Sargão II enviou à terra de Israel um misto de outros povos, formando ali uma grande mistura de raças. Ele sabia que a miscigenação racial enfraqueceria o potencial de resistência de um povo. Assim, com aquela mistura racial, formou-se em Israel um povo híbrido, chamado samaritano, que veio a constituir-se num inimigo figadal do povo de Judá.

O Reino do Sul, composto pelas tribos de Benjamim e Judá, teve vinte reis, sendo que vários foram piedosos, como Asa, Josafá, Ezequias, Jotão, Uzias, Joás e Josias. Sempre que um rei piedoso subia ao trono, a nação prosperava e crescia econômica, moral, social e espiritualmente. No Reino do Sul, para cumprir a profecia de que o Messias viria da casa de Davi, governou apenas uma única dinastia.

Para falar ao povo de Judá, Deus levantou vários profetas, como Isaías, Miqueias, Joel, Sofonias e Jeremias. A nação também se corrompeu profundamente, não dando ouvidos à voz de Deus. Então, de igual forma, Deus os disciplinou e enviou o exército babilônico, entregando-os nas mãos de seus inimigos. O povo de Judá foi levado ao cativeiro babilônico em 586 a.C. O Reino do Sul, chamado Judá, durou 345 anos. Depois de duas investidas, em 606 a.C. e 596 a.C., Nabucodonosor invadiu Jerusalém em 586 a.C., destruiu seu glorioso templo e levou o povo para o cativeiro, deixando a cidade sob tremendo opróbrio. O povo ficou no cativeiro durante setenta anos, conforme profecia dada por Deus ao profeta Jeremias.

No período do cativeiro, Deus levantou os profetas Jeremias, Ezequiel e Daniel. Nesse período, o povo foi purificado da idolatria, e surgiram as sinagogas. Após o tempo determinado por Deus, o povo de Judá voltou à sua terra. Nesse tempo, ou seja, 516 a.C., a Babilônia já havia caído nas mãos do Império Medo-Persa. Ciro, anunciado por Deus duzentos anos antes de nascer, liberta o povo judeu e abre as portas para o seu retorno à terra de Canaã. O povo volta em três turnos: sob a liderança de Zorobabel para a reconstrução do templo, sob a liderança de Esdras para o ensino da Lei e sob a liderança de Neemias para a reconstrução dos muros e a reestruturação política e espiritual do povo.

Logo que chegou do cativeiro e deu início à reconstrução do templo, o povo judeu começou a enfrentar problemas: primeiro, os samaritanos astuciosamente quiseram unir-se a eles na obra, a fim de desestabilizá-los.

Como a proposta da parceria foi rejeitada, os samaritanos, numa segunda etapa, começaram a ameaçá-los.

A seguir, os samaritanos escreveram ao rei Artaxerxes acusando os judeus de conspiração contra o Reino Medo-Persa. Em face dessa nefasta perseguição, a obra do templo foi paralisada por uns vinte anos. Nesse período, o povo relaxou no seu zelo pela casa de Deus e começou a voltar-se para seus próprios negócios, construindo e embelezando suas próprias casas em detrimento da casa de Deus que estava em ruínas. Nessa época, Deus levantou os profetas Ageu e Zacarias para chamar o povo ao arrependimento. A mensagem desses profetas surtiu efeito rápido e profundo. O povo se arrependeu e voltou com entusiasmo para concluir a reconstrução do templo. Houve então grande despertamento espiritual: um concerto nas famílias e no sacerdócio e uma volta de todo o coração para Deus.

Cerca de cem anos se passaram e uma nova geração se levantou. Agora, o povo continuava indo ao templo, fazendo seus sacrifícios, mas não honrava mais a Deus. Eles ofereciam a Deus em holocausto animais cegos, doentes e aleijados. Desprezavam a mesa do Senhor, considerando-a imunda. Os sacerdotes se corromperam e deixaram de ensinar a Palavra de Deus ao povo.

A família foi profundamente afetada, os casamentos começaram a desmoronar, terminando em divórcio. O povo não acreditava mais que Deus fosse capaz de julgá-lo, por isso relaxou na devolução dos dízimos. Embora continuasse a frequentar o templo, estava longe de Deus. Nesse tempo, Deus levantou Malaquias para chamar o povo ao arrependimento. Assim, encerrou-se o Antigo Testamento, quatrocentos anos antes de Cristo.

Deus enviou também profetas a outras nações. Deus é o Senhor de toda a terra. Seu propósito salvador sempre contemplou todos os povos e raças, e Jonas foi enviado a Nínive, capital da Assíria. Os resultados foram tremendos. Toda a cidade se arrependeu e se humilhou diante de Deus, para desgosto do profeta nacionalista.

Deus enviou Obadias aos descendentes de Esaú, os edomitas, a fim de repreender o orgulho daquela nação. Enviou Naum para trombetear o juízo divino sobre Nínive. Usou Daniel para declarar a ira de Deus contra a megalomaníaca Babilônia e profetizar a queda daquele poderoso império. Usou Amós para levar uma mensagem de juízo contra a Síria, Filístia, Tiro, Edom, Amom e Moabe.

Isaías, o profeta palaciano, também embocou a trombeta do juízo divino para fora dos limites de Israel e condenou os pecados da Assíria, Babilônia, Filístia, Moabe, Síria, Etiópia, Egito, Edom e Arábia.

Depois do profeta Malaquias, temos um longo período de quatrocentos anos, chamado período interbíblico ou período do silêncio profético. Nesse tempo, foram escritos os livros histórico-religiosos não canônicos, os livros apócrifos. Também foi traduzido o Antigo Testamento do hebraico para o grego, dando à luz a famosa versão denominada Septuaginta.

O Império Medo-Persa caiu nas mãos do Império Grego. Alexandre, o Grande, depois de conquistar nações e reinos, morreu precocemente aos 33 anos de idade, chorando por não ter mais terras para conquistar. Ele expandiu poderosamente seu império, disseminando a cultura helênica e a língua grega, tão útil mais tarde para a divulgação rápida e sem fronteiras do evangelho. Com a morte de Alexandre, o reino caiu nas mãos de quatro generais, importando-nos aqui ressaltar o domínio dos ptolomeus (egípcios) e dos selêucidas (sírios), que estiveram sempre em conflito.

Israel foi ora dominado por um, ora por outro. Nessa época, Antíoco Epifânio ultrajou os judeus sacrificando um suíno no altar do templo em Jerusalém, o que era uma abominação para eles. Esse fato deu início à guerra dos macabeus, vencida por Judas Macabeu depois de muito sangue derramado.

Mais tarde, no ano 63 a.C., Pompeu conquistou Jerusalém e os romanos passaram a dominar Israel. Antípater, da família edomita, foi nomeado rei em Israel. Depois de sua morte, seu filho Herodes, o Grande, reinou em seu lugar. Herodes, o Grande, foi um grande administrador. Ele ampliou e embelezou o templo de Jerusalém; construiu o porto de Cesareia, abrindo caminho para o comércio internacional e facilitando as viagens dos missionários para o mundo; construiu a fortaleza de Massada e muitos palácios e fortalezas. Porém, Herodes era um homem inseguro e violento. O medo de perder o trono o atormentou durante toda a sua vida. Casou-se dez vezes. Teve muitos filhos. Quando casou-se com Mariana, mulher da nobreza, mandou matar todos os nobres de sua família, com medo de perder o seu trono. A pedido de sua sogra, nomeou Aristóbulo, seu sobrinho, com apenas 17 anos de idade, como sumo sacerdote de Jerusalém. Mais tarde, ao ver que este conquistava a simpatia do povo, mandou matá-lo. Sua sogra, com medo, fugiu para o Egito. Mas Herodes enviou seus emissários atrás dela para matá-la. César Augusto o chamou a Roma por causa de suas atrocidades. Antes de ir, porém, mandou matar sua mulher, Mariana, com receio de que ela conspirasse contra ele em sua ausência. Mais tarde, enviou dois de seus filhos a Roma para estudarem. Sua irmã Salomé insinuou que eles voltariam mais preparados para assumir o trono. Herodes não hesitou: mandou estrangular seus dois filhos. Antes de morrer, fez sua irmã Salomé jurar que mataria pelo menos um nobre de cada família de Jerusalém, porque queria choro em seu funeral. Esse foi o homem que ficou alarmado quando soube, pelos magos, que um menino havia nascido em Belém da Judeia para ser rei de Israel.

Depois que Herodes, o Grande, morreu por volta do ano 4 a.C., seu reino foi dividido entre quatro de seus filhos. O título tetrarca significa literalmente governador de uma quarta parte. Assim, ele: 1) deu a Galileia e a Pereia a Herodes Antipas, que reinou do ano 4 a.C. a 39 d.C. Jesus viveu seus dias na Galileia sob o governo desse Herodes; 2) deu a Itureia e Traconites a Herodes Filipe; 3) deu Abilene, que fica ao norte das demais regiões mencionadas, a Lisânias; 4) deu a Judeia, Samaria e Edom a Arquelau. Este foi um péssimo rei. Os judeus ao final pediram aos romanos que o tirassem do cargo. Roma, preocupada com os constantes problemas na Judeia, instalou ali um procurador ou governador romano. Assim foi que os romanos começaram a governar diretamente a Judeia. Nesse momento, Pilatos era o governador, que esteve no poder desde 25 a 37. Pilatos foi o quinto na série de oficiais romanos a administrarem o território.

Essa catastrófica situação estatal e política em que o povo eleito de Deus se encontrava sob o poderio odioso dos herodianos e à mercê da escravidão do domínio dos romanos, fez com que se manifestasse, como nunca antes, uma esperança política pelo Messias, um grito de libertação e redenção da servidão ímpia.

2

Uma síntese do Novo Testamento

Jesus, na plenitude dos tempos, cumprindo as profecias bíblicas, nasceu em Belém da Judeia. O Verbo eterno se fez carne e tabernaculou entre os homens. Ele habitou entre nós cheio de graça e de verdade. Ele vestiu pele humana, calçou as sandálias da humildade, pisou o nosso chão, comeu o nosso pão, bebeu a nossa água, sentiu a nossa dor, chorou as nossas lágrimas, carregou sobre seu corpo, no madeiro, os nossos pecados e ressuscitou em glória para a nossa justificação.

Tanto a cultura helênica quanto a romana se uniram à contribuição dos judeus na vinda do Messias ao mundo. Quando Jesus nasceu, a Palestina estava sob o domínio de Roma. Com a perseguição de Herodes, o Grande, José e Maria fugiram com o menino Jesus para o Egito, ficando lá até a morte do impiedoso rei.

Voltaram do Egito e fixaram-se em Nazaré, cidade onde haviam morado anteriormente. Ali, Jesus cresceu como filho de um carpinteiro. Aos 30 anos de idade, deu início ao seu ministério, tendo sido batizado no Jordão por João Batista, identificando-se assim com os pecadores, aos quais veio salvar.

Ali no Jordão, enquanto Jesus orou, os céus se abriram e o Pai falou: "Este é o meu filho amado, em quem me comprazo". Nesse mesmo instante, o Espírito Santo desceu sobre ele, em forma de pomba, revestindo-o com poder para dar início ao seu ministério. Ali estava presente a Trindade: o Pai, o Filho e o Espírito Santo.

Do Jordão, Jesus foi conduzido ao deserto pelo Espírito Santo, onde jejuou por quarenta dias e quarenta noites, tempo em que foi tentado pelo diabo. Por três vezes, o diabo investiu contra Jesus para derrubá-lo, mas o Filho o venceu no deserto, usando sempre a espada do Espírito, a Palavra de Deus. O diabo derrubou o primeiro Adão no paraíso, mas foi derrotado pelo segundo Adão no deserto. Do deserto, Jesus, cheio do Espírito Santo, seguiu para a Galileia.

Chegando a Nazaré, onde viveu a maior parte da sua vida terrena, entrou na sinagoga, tomou o rolo do livro de Isaías e leu: "O Espírito do Senhor está sobre mim, pelo que me ungiu para pregar, para curar e para libertar".

Jesus chamou doze homens, aos quais deu o nome de apóstolos, investindo a maior parte do seu tempo para treiná-los e discipulá-los. Percorreu a Galileia, a Pereia, Samaria e a Judeia. Pregou nas cidades, nas vilas e nos campos. Pregou nas sinagogas e no templo. Pregou ao ar livre, na praia e também nos lares. Pregou a multidões e também a pequenos grupos.

Jesus andou por toda parte fazendo o bem e libertando todos os oprimidos do diabo. Curou os enfermos, alimentou os famintos, deu vista aos cegos, aprumou os paralíticos, fez andar os coxos, deu audição aos surdos, purificou os leprosos, libertou os possessos e ressuscitou os mortos. Foi a suprema revelação de Deus aos homens. Recebeu o nome de Emanuel, Deus conosco.

Ele é o próprio Deus manifestado em carne. Jesus veio com uma missão definida: morrer por todos aqueles que o Pai lhe deu. Ele nasceu para morrer. Ele morreu para que pudéssemos viver. O apóstolo foi enfático em dizer que ele morreu pelos nossos pecados, segundo as Escrituras, foi sepultado e ressuscitou ao terceiro dia, segundo as

Escrituras (1Coríntios 15:3,4). Sua morte não foi um acidente nem sua ressurreição, uma surpresa.

O diabo usou diversos artifícios para demovê-lo da cruz, mas Jesus marchou para ela como um rei caminha para a coroação. Na cruz, Jesus esmagou a cabeça da serpente e triunfou sobre os principados e potestades, expondo-os ao desprezo. Na cruz, Jesus consumou a obra da redenção. Na cruz, ele nos libertou. A morte não pôde detê-lo. Ao terceiro dia, Jesus ressuscitou para a nossa justificação. Depois de ter passado quarenta dias com os discípulos, falando-lhes sobre o reino de Deus, Jesus voltou para o Pai. Antes de subir aos céus, porém, instruiu os discípulos a permanecerem em Jerusalém, aguardando a promessa do Pai, até que fossem revestidos de poder.

Em Atos 1:8, Jesus fala sobre a capacitação de poder dada pelo Espírito Santo e dá também a estratégia de ação a ser seguida: ser testemunha "tanto em Jerusalém, como em toda a Judeia, Samaria e até os confins da terra". Depois do Pentecostes, a igreja explodiu em Jerusalém, num crescimento espantoso. Multidões eram convertidas e agregadas a ela. O crescimento e a expansão da igreja de Jerusalém são registrados por Lucas até o capítulo 7 de Atos.

Como a igreja ainda estava limitada à Judeia, Deus enviou uma perseguição contra ela, e os crentes foram dispersos, levando a Palavra por onde iam. Assim é que Filipe chegou a Samaria, quebrando os muros de inimizade e pregando ali o evangelho com poder. O povo se alegrava ao ouvir e ver as coisas que Deus fazia por intermédio de Filipe. O diácono pregador falava e fazia, pregando aos ouvidos e aos olhos.

Pela imposição de mãos dos apóstolos Pedro e João, os samaritanos também receberam o Espírito Santo. O evangelho se espalhou para além das fronteiras de Israel com a conversão do perseguidor da igreja, Saulo de Tarso, no caminho de Damasco. Mais tarde, uma igreja gentílica, a igreja de Antioquia da Síria, tornou-se a mãe das missões transculturais.

Dali, Barnabé e Saulo partiram para a primeira viagem missionária nas regiões da Galácia, passando por Perge, Derbe, Icônio e Listra, estabelecendo igrejas e constituindo presbíteros. Na segunda viagem missionária, Paulo e Silas, por orientação divina, foram para as províncias da Macedônia e Acaia, plantando igrejas em Filipos, Tessalônica, Bereia e Corinto. De Antioquia da Síria, Paulo escreveu a carta aos Gálatas e, de Corinto, as duas cartas aos Tessalonicenses.

Na terceira viagem missionária, Paulo visitou a província da Ásia Menor, permanecendo três anos em Éfeso, a capital da província, de onde escreveu as duas cartas à igreja de Corinto. Nessa cidade cosmopolita, de mais de trezentos mil habitantes, havia o templo da deusa Diana, um palácio de mármore, quatro vezes maior do que o Partenon de Atenas, uma das sete maravilhas do mundo antigo. Nos anos que Paulo passou na capital da Ásia Menor, igrejas foram plantadas em toda a província, como as de Esmirna, Pérgamo, Tiatira, Sardes, Filadélfia, Laodiceia, Colossos e Hierápolis.

Em virtude da fome que assolou o mundo no tempo do imperador Cláudio, os judeus foram expulsos de Roma (Atos 18:2). Paulo, então, faz uma grande coleta entre as igrejas gentílicas para levar aos pobres da Judeia. Ao embarcar rumo a Jerusalém, comunicou aos presbíteros de Éfeso que de cidade em cidade o que lhe aguardava eram cadeias e tribulações. Não obstante, não levava em conta sua própria vida para cumprir seu ministério de anunciar o evangelho da graça de Deus. Antes de embarcar para Jerusalém, escreveu sua mais robusta epístola, a carta aos Romanos, onde compartilhou seu desejo de visitar a capital do império e repartir com a igreja a Palavra, sendo por ela enviado até a Espanha.

Mesmo levando significativa ajuda financeira aos pobres da Judeia, Paulo foi preso em Jerusalém e dali transferido para Cesareia, onde foi acusado durante dois anos pelos judeus, sob a égide dos governadores Félix e Festo.

Em face da tendência de Festo de entregá-lo nas mãos do Sinédrio, que planejava sua morte, Paulo, usando os privilégios de sua cidadania romana, optou por ser julgado em Roma. Na viagem para a capital do império, enfrentou um terrível naufrágio. O navio se despedaçou por inteiro, porém todos os passageiros e tripulantes foram salvos miraculosamente, conforme promessa de Deus a Paulo.

Na ilha de Malta, onde chegaram, uma víbora picou a mão de Paulo, mas Deus neutralizou o veneno letal da cobra e ainda usou seu servo para curar todos os enfermos da ilha. Assim, os malteses enviaram Paulo a Roma com todas as suas necessidades supridas. Ali permaneceu preso durante dois anos, em uma casa alugada. Dali Paulo evangelizou a guarda pretoriana, estimulou os crentes a trabalhar e escreveu cartas aos efésios, aos filipenses, aos colossenses e a Filemom.

Após esse período, Paulo foi liberado da prisão e então escreveu a primeira carta a Timóteo e a carta a Tito. Mas, a partir do ano 64, a perseguição à igreja, em vez de ser religiosa, passou a ser política, e Paulo retornou à prisão, sendo encerrado numa masmorra, um porão subterrâneo, escuro, úmido e insalubre. No dia 17 de julho de 64, a cidade de Roma, com mais de um milhão de pessoas, foi incendiada. Nero, o imperador, vestido de ator, subiu para o alto da torre de Mecenas, de onde assistiu ao espetáculo horrendo das chamas devorando a cidade. Foram sete noites e seis dias de incêndio. Quando as chamas apagaram, setenta por cento da cidade estava destruída. Dos catorze bairros de Roma, dez deles foram devastados pelas chamas. Os quatro bairros restantes, densamente povoados por judeus e cristãos, deram a Nero um álibi para colocar a culpa do incêndio de Roma nos cristãos. Começa, então, uma brutal perseguição à igreja. Faltou madeira para fazer cruz, tamanha a quantidade de crentes crucificados. Os crentes eram amarrados em postes, cobertos de piche e queimados vivos, para iluminar as noites de Roma. Foi um verdadeiro massacre.

Dessa segunda prisão, Paulo escreveu a sua última epístola, a segunda carta a Timóteo. Nela relatou a chegada do seu próprio martírio e a gloriosa esperança de tomar posse da coroa da justiça. Assim, por volta do ano 67, o veterano apóstolo foi degolado, deixando, porém, para as gerações pósteras um bendito legado.

O Novo Testamento foi escrito num período de cinquenta anos. Temos quatro livros biográficos, os quatro Evangelhos, e três são sinópticos, quer dizer, vistos por uma mesma perspectiva: Mateus, Marcos e Lucas. A ênfase de Mateus é apresentar Jesus como rei dos judeus. Escrito para os judeus, tem o maior volume de citações do Antigo Testamento. É o mais judaico dos Evangelhos.

A ênfase de Marcos é apresentar Jesus como servo. Escrito para os romanos, é o Evangelho que se concentra nas obras de Jesus, mais do que nos seus ensinos.

O evangelho de Lucas enfatiza Jesus como Filho do homem. Escrito para os gregos, por um médico gentio, historiador e viajante, tem como propósito apresentar o retrato de Jesus como o homem perfeito. Por isso, Lucas é o evangelista que mais fala da vida de oração de Jesus e do seu ministério realizado no poder do Espírito Santo.

João, já no final do primeiro século, para refutar o gnosticismo, uma perniciosa heresia que negava a divindade de Cristo, com uma abordagem diferente dos demais, prova que Jesus é verdadeiramente Deus e verdadeiramente homem. João selecionou sete milagres operados por Jesus e sete declarações *Eu sou*, provando que ele tem os mesmos atributos de Deus e realiza as mesmas obras dele.

Temos no Novo Testamento, ainda, um livro histórico, o livro de Atos, que narra os fatos relacionados à igreja primitiva, desde o seu nascimento até sua expansão à cidade de Roma. Três igrejas lideraram esse avanço: Jerusalém, Antioquia e Éfeso. Quatro províncias do império foram alcançadas: Galácia, Macedônia, Acaia e Ásia Menor.

O livro de Atos não tem conclusão, pois a história da igreja continua. Nós somos herdeiros e continuadores da igreja que nasceu no Pentecostes.

Temos, também, as cartas do apóstolo Paulo às igrejas de Roma, Galácia, Éfeso, Filipos, Colossos e Tessalônica, bem como suas cartas pessoais: a Timóteo, Tito e Filemom. Temos, outrossim, uma carta enviada aos judeus que estavam sendo tentados, por causa da perseguição, a retroceder na fé, que é a carta aos Hebreus, de autor desconhecido.

Temos ainda as cartas gerais, escritas por Tiago, Pedro, João e Judas. Finalmente, temos um livro escatológico, o Apocalipse, que narra a vitória triunfal de Cristo e de sua igreja, escrito pelo apóstolo João na ilha de Patmos, por volta do ano 96.

3

Perseguições no Império Romano

Nero chegou ao poder em outubro do ano 54. Insano, pervertido e mau, era filho de Agripina, mulher promíscua e perversa. Na noite de 17 de julho de 64, um catastrófico incêndio estourou em Roma. O fogo durou seis dias e sete noites. Dez dos catorze bairros da cidade foram destruídos pelas chamas vorazes.

Segundo alguns historiadores, o incêndio foi provocado pelo próprio Nero, que assistiu a ele do topo da torre de Mecenas, no cume do Palatino, vestido como um ator de teatro, tocando sua lira e cantando versos acerca da destruição de Troia. Pelo fato de quatro bairros onde havia grande concentração de judeus e cristãos não terem sido atingidos pelo incêndio, Nero encontrou uma boa razão para culpar os cristãos pela tragédia.

Daí em diante, eclodiu uma sangrenta perseguição contra os cristãos. Foi no governo de Nero que o apóstolo Paulo foi preso e degolado. Também foi no seu governo que Pedro foi crucificado, conforme a profecia de Jesus (João 21:18,19). Muitas foram as atrocidades e os crimes bárbaros que se praticaram contra os cristãos nessa época.

Cristãos sem conta foram amarrados em postes e incendiados vivos para iluminar as praças e os jardins de Roma à noite. Outros, segundo o historiador Tácito, foram lançados nas arenas, enrolados em peles de animais, para que cães famintos os matassem a dentadas. Outros ainda foram lançados no picadeiro para que touros enfurecidos os pisoteassem e os esmagassem. A loucura de Nero só não foi mais longe porque no ano 68 boa parte do império se rebelou contra ele e o Senado romano o depôs. Desesperado, sem ter para onde ir, Nero suicidou-se.

No ano 66, explodiu uma rebelião dos judeus em Cesareia Marítima. Uma sinagoga judaica fora profanada, e os zelotes, que nunca foram favoráveis ao governo de Roma em Israel, rebelaram-se. Roma manda para lá o general Tito a fim de estancar a rebelião. A rebelião tornou-se mais e mais agitada. No ano 70, Tito cercou Jerusalém, derrubou seus muros, destruiu o templo, passou a fio de espada milhares de judeus e promoveu a maior dispersão de judeus de todos os tempos, cumprindo a profecia de Jesus Cristo proferida no monte das Oliveiras (Mateus 24:1,2). Foi um massacre sangrento.

Cerca de quarenta anos antes, judeus enlouquecidos haviam pedido, às barras do tribunal de Pilatos, que o sangue de Cristo caísse sobre eles e seus filhos. Sob o exército de Tito, judeus e cristãos foram esmagados sem piedade. Faltou madeira para crucificar tanta gente.

Correu na cidade um rio de sangue. Milhares morreram de fome, outros foram devorados à espada. Os judeus foram expatriados por toda a face da terra, vendidos como mercadoria sem valor. Essa dispersão durou 1:878 anos, ou seja, desde o ano 70 até o ano 1948, quando Israel voltou à sua terra e tornou a ser nação livre. Ainda no ano 70, o imperador Vespasiano inaugurou o Coliseu em Roma e, na festa de inauguração, que durou cem dias, mais de dez mil cristãos foram mortos pelas espadas dos gladiadores e pelos leões esfaimados da Líbia, servindo de espetáculo a uma multidão sanguissedenta.

No ano 81, Domiciano começa a reinar. Foi chamado de "segundo Nero", por causa da fúria com que perseguiu os cristãos. Esse foi o primeiro imperador a arrogar a si o título "Senhor e Deus". No final de seu reinado, desatou-se novamente uma esmagadora perseguição à igreja.

Até mesmo seu parente Flávio Clemente e sua esposa Flávia Domitila foram executados por ordem do imperador pelo fato de serem cristãos. Foi no tempo de Domiciano que a perseguição se espalhou, atingindo também a Ásia Menor, e o apóstolo João foi deportado de Éfeso para a ilha de Patmos, onde escreveu o livro de Apocalipse.

Por volta do ano 155, houve o martírio de Policarpo. Os cristãos que recusavam servir aos deuses do panteão romano eram castigados severamente. Policarpo foi apanhado, e aplicaram-lhe os mais dolorosos castigos. Ele, firme e resoluto, suportou todo o sofrimento. O juiz instou com ele para que jurasse pelo imperador e maldissesse a Cristo para ficar livre. Mas Policarpo, com bravura, respondeu: "Vivi 86 anos servindo a Cristo, e nenhum mal ele me fez. Como poderia eu maldizer ao meu rei, que me salvou?"

Quando finalmente o juiz o ameaçou, primeiro com feras e depois a ser queimado vivo, Policarpo respondeu que o fogo que o juiz podia acender duraria somente um momento, mas o fogo do castigo eterno jamais se apagaria. Atado já em meio à fogueira, antes que as chamas o devorassem, ergueu placidamente os olhos aos céus e agradeceu o privilégio de morrer como mártir.

No ano 161, Marco Aurélio assumiu o trono, governando até 180. No seu reinado houve dura perseguição aos cristãos por causa da tenacidade com que recusaram dobrar-se aos deuses pagãos. Um dos martírios que mais impacto causou em Roma foi o da viúva Felicidade e seus sete filhos.

Ela e sua família foram denunciadas a Públio, prefeito da cidade, que com ameaças procurou induzi-la a renegar Cristo. Ela corajosamente declarou que o prefeito estava perdendo seu tempo. Mesmo sob assombrosas ameaças, ela lhe disse: "Viva, eu te vencerei; se me matares, em minha própria morte, vencer-te-ei ainda mais".

O prefeito passou a intimidar seus filhos, mas ela os exortou a enfrentar com galhardia a própria morte. Permaneceu como heroína ao lado deles e viu como o filho mais velho foi barbaramente espancado até morrer. Os dois seguintes foram golpeados com clavas até morrerem. O quarto filho foi jogado num grande despenhadeiro. Os outros três foram decapitados.

Então, Felicidade, no meio de seus mortos, glorificou a Deus por ter-lhe dado sete filhos dignos de sofrer por Cristo. Por fim, depois de prolongada e cruel tortura, ela também foi decapitada.

Nesse tempo também foi martirizado Justino, um dos maiores pensadores cristãos de todos os tempos. Milhares de cristãos foram presos, asfixiados e assassinados com requintes de crueldade. Um dos exemplos mais patéticos foi o de Blandina.

Essa frágil mulher demonstrou descomunal firmeza ante o suplício. Sua resistência foi um verdadeiro milagre. Os verdugos que a torturavam precisaram revezar-se. As feras recuaram ao olhar para ela.

Encerraram-na no cárcere novamente, com o corpo dilacerado. Enfim, levaram-na para ser torturada publicamente de diversas maneiras. Açoitaram-na, fizeram-na ser mordida por feras e, em seguida, obrigaram-na a assentar-se sobre um ferro em brasas. Como ela ainda permanecia firme em sua fé, amarraram-na em uma rede para que um touro enfurecido a chifrasse. De sua boca ainda saíam louvores ao nome de Jesus. Então, as autoridades ordenaram que ela fosse decapitada.

Nos albores do terceiro século, o imperador Septímio Severo, com o propósito de consolidar o poder de Roma, propôs deter o avanço do judaísmo e do cristianismo. Consequentemente, proibiu, sob pena de morte, qualquer conversão ao judaísmo e ao cristianismo.

Todo cristão que se negasse a sacrificar aos deuses sofreria condenação sumária e inapelável. O edito, proclamado no ano 202, marcou o início de um novo fato na história das perseguições. Foi nessa época que Ireneu foi martirizado e milhares de cristãos selaram sua fé com o próprio sangue.

Foi também nesse tempo que Perpétua, mulher jovem e de boa posição social, amamentando seu filhinho, sofreu com rara bravura o martírio. Seu pai tentou convencê-la a abandonar a Cristo e poupar sua vida. Ela recusou terminantemente. Quando os carcereiros a viram queixar-se das dores de parto (pois dera à luz na prisão), perguntaram como teria coragem de enfrentar as feras. Ela respondeu: "Agora, os meus sofrimentos são só meus. Quando tiver de enfrentar as feras, Jesus sofrerá por mim, posto que estarei sofrendo por ele".

Após ter a carne rasgada pelos chifres de uma vaca furiosa, disse: "Este não é um momento de luto, mas de glória". Seu algoz tremia de medo ao decapitá-la.

No ano 249, Décio cingiu-se com a púrpura imperial, disposto a restaurar a velha glória de Roma. A economia do império estava em crise e as tradições, em baixa. O povo havia abandonado o culto de seus deuses.

O imperador acreditava que, se todos os súditos do império voltassem a adorar os deuses, estes voltariam a favorecer o império. Este foi o cerne da política de Décio. Tudo o que se opunha a esse plano imperial era traição e falta de patriotismo.

Ele não queria mártires. Queria patriotas subservientes. Queria apóstatas. Por mandato imperial, todos tinham de se curvar diante dos deuses de Roma e incensar o imperador como uma divindade. Alguns cristãos fraquejaram diante da pressão. Outros resistiram por algum tempo e depois também sucumbiram.

Muitos, porém, suportaram com desassombro torturas cruéis e morreram como mártires. Nesse tempo, a perseguição tornou-se sistemática e universal. A avalanche só não foi mais devastadora porque o governo de Décio durou apenas três anos.

Entretanto, foi no fim do terceiro século que desabou sobre a igreja a maior e mais perversa perseguição, sob o governo de Diocleciano. Este, em 303, lançou um edito ordenando a queima de todos os edifícios e livros cristãos. Os cristãos foram privados de sua dignidade e de seus direitos civis.

Ele ainda ordenou que todos os líderes cristãos fossem encarcerados. Presos os líderes, todos os cristãos deveriam, sob pena de morte, sacrificar aos ídolos de Roma. Assim, por causa de sua fé, os cristãos sofreram torturas e suplícios horrendos.

Essa brutal e sangrenta perseguição só teve fim com a promulgação por Galério do Edito de Tolerância, no dia 30 de abril de 311. Logo foram abertos os cárceres e as pedreiras, e deles brotou uma torrente humana de pessoas aleijadas, arrebentadas e tortas, mas exultantes e com a face brilhando de fulgor pela glória de Deus.

Em 313, Constantino proclamou o edito de Milão, fazendo cessar a perseguição aos cristãos e devolvendo-lhes igrejas, cemitérios e outras propriedades que haviam sido confiscadas. Assim terminou o período de tirania e truculência.

Contudo, mesmo sob a chibata e a espada, a igreja cresceu, como disse Tertuliano: “O sangue dos mártires tornou-se a seiva para a sementeira do evangelho”.

A perseguição, longe de fazer a igreja recuar, tornou-a mais ousada. Longe de destruí-la, fez com que se multiplicasse.

Perguntaram certa feita ao rev. Francisco Leonardo, ex-reitor do Seminário Presbiteriano do Norte, em Recife, PE: “Reverendo, se a igreja fosse mais perseguida, seria mais fiel?” Ele respondeu: “Não, se ela fosse mais fiel, seria mais perseguida”. Isso deve fazer-nos refletir!

4

A DECADÊNCIA DA IGREJA

A partir de Constantino, o cristianismo deixou de ser uma religião perseguida para ser a religião oficial do império. Os cristãos, em vez de perseguidos, eram privilegiados. Em vez de espoliados, eram ajudados. Agora, a porta de entrada da igreja não era mais a conversão, mas a conveniência.

Antes, confessar o nome de Cristo era expor a vida ao martírio; agora, significava projeção e segurança. Antes, ser cristão provocava a fúria dos imperadores; agora, arrancava seus aplausos.

A declaração do cristianismo como religião oficial do império certamente teve algumas vantagens, tais como o rápido crescimento numérico da igreja, a isenção de encargos públicos ao clero, a proibição de oferta de sacrifícios pagãos em casas particulares.

A igreja recebeu privilégios de pessoa jurídica, podendo assim receber doações e legados. Proibiu-se nas cidades o trabalho dominical. Fizeram-se donativos ao clero e erigiram-se grandes igrejas nas principais cidades do império. Os bens saqueados dos cristãos nos tempos de perseguição foram devolvidos. Também se iniciou a construção de cemitérios cristãos.

Contudo, é certo dizer que a decisão de declarar o cristianismo religião oficial do império também teve trágicas consequências para a igreja, como, por exemplo, a sua rápida paganização. A porta de entrada da igreja deixou de ser a conversão para ser a conveniência. As pessoas vinham para a igreja não porque estavam convencidas de seus pecados, não porque haviam recebido a Cristo como Senhor, mas por causa das benesses que recebiam.

Ainda, ao vir para a igreja, traziam toda a bagagem de paganismo politeísta. Não tardou para que a igreja fosse contaminada com heresias perniciosas, perdendo paulatinamente sua identidade de igreja cristã fiel a Jesus e ao ensino dos apóstolos.

Além disso, houve também o concubinato entre a igreja e o Estado. O imperador passou a ser o chefe da igreja e o chefe do Estado. Assim, a igreja perdeu o poder espiritual e buscou preencher esse vazio com um poder econômico e político. A igreja tornou-se rica, opulenta e influente, mas perdeu sua fonte de vida abundante. Tinha dinheiro, mas não tinha poder. Tinha a bênção dos imperadores, mas não a aprovação do céu.

Também começou a existir entre os bispos das cinco principais cidades do mundo — Roma, Constantinopla, Alexandria, Antioquia e Jerusalém — uma disputa acirrada por preeminência e predominância de poder.

Em 604, o imperador Focas concedeu ao bispo de Roma, Gregório I, o título de bispo universal. Gregório recusou o título, alegando que aquele que o aceitasse deveria ser considerado um anticristo. Todavia, em 607, Bonifácio III aceitou o título, criando assim a instituição do papado. Foi a partir dessa data que se iniciou historicamente a Igreja Romana sob o comando do papa. O romanismo edifica-se sobre alicerce roto. Toda a estrutura do romanismo está estribada em uma interpretação equivocada de Mateus 16:18: *Também eu te digo que tu és Pedro, e sobre esta pedra edificarei a minha igreja, e as portas do inferno não prevalecerão contra ela*. Três são as interpretações acerca do significado da pedra fundamental sobre a qual a igreja está edificada: Primeiro, há aqueles que acham que Pedro é a pedra. Segundo, outros dizem que a pedra é a declaração de Pedro: *Tu és o Cristo, o Filho do Deus vivo*. Terceiro, a pedra é o próprio Cristo.

Há uma frase em latim muito conhecida no meio religioso: *Ubi Petrus, ibi ecclesia* (Onde está Pedro, aí está a igreja). Diz a Igreja Romana que Pedro é a pedra, que Pedro é o primeiro papa e que todo papa é um sucessor legítimo de Pedro. Mas terá essa tese sustentação bíblica? Vejamos: a palavra "Pedro" (pétros, em grego) significa fragmento de pedra.

A palavra "pedra" (*petra*, em grego) significa rocha, pedra inabalável. Essa metáfora é usada somente para Deus nas Escrituras. Portanto, Jesus está dizendo: "Você, Pedro, é um fragmento de pedra, mas sobre esta rocha, que sou eu, edificarei a minha igreja". É digno de nota que o próprio Pedro dá testemunho de que Jesus Cristo, e não ele, é a pedra sobre a qual a igreja está edificada. Quando inicia seu ministério, ao pregar em Jerusalém, declara que Jesus é a pedra (Atos 4:11,12) e, quando escreve sua primeira carta, já no final de seu ministério, faz a mesma declaração, dizendo que Jesus é a pedra (1Pedro 2:4-6).

O apóstolo Paulo, inspirado pelo Espírito Santo, diz que ninguém pode lançar outro fundamento além daquele que já foi posto, o qual é Cristo Jesus (1Coríntios 3:11). Afirma, outrossim, que Cristo é a pedra (1Coríntios 10:4) e diz também que ele é a pedra angular (Efésios 2:20). Pelo texto de Mateus 16:18, podemos concluir que Jesus é o fundamento da igreja, o fundador da igreja, o dono da igreja, o edificador da igreja e o protetor da igreja.

Por causa de uma falsa interpretação do texto de Mateus 16:18, o papado é uma usurpação da Trindade. Consideremos o seguinte:

1. Ele usurpa o lugar de Deus Pai.

Ao receber o título de papa, pai, o papa se autodenomina pai da cristandade. Isso é uma afronta à palavra de Deus, que diz que a ninguém devemos chamar pai nesse sentido (Mateus 23:9).

2. Ele usurpa o lugar de Deus Filho.

O papa usurpa o lugar do Filho de Deus, e isso de três maneiras: Primeiro, *quando ele se autointitula pedra fundamental da igreja*. A pedra é Cristo (1Coríntios 10:4; Atos 4:11; 1Coríntios 3:11; Efésios 2:20; 1Pedro 2:4-6). Segundo, *quando ele se declara o cabeça e chefe da igreja militante, triunfante e purgante*. A igreja só tem um cabeça, Jesus Cristo (Efésios 5:22-30; Efésios 1:20-23). Terceiro, *quando ele se define como o sumo pontífice*. Esse termo vem do latim e significa supremo construtor de pontes, ou seja, supremo mediador. A Bíblia é clara em afirmar que Jesus é o único mediador entre Deus e os homens (1Timóteo 2:5). Jesus foi enfático ao dizer: *Eu sou o caminho, e a verdade, e a vida; ninguém vem ao Pai senão por mim* (João 14:6).

3. Ele usurpa o lugar do Deus Espírito Santo.

O papa usurpa o lugar do Espírito Santo quando se autointitula vigário de Cristo na terra. A palavra "vigário" significa substituto. O substituto de Cristo não é um homem, não é um apóstolo, muito menos o papa, mas a terceira pessoa da Trindade, o Deus Espírito Santo (João 14:16,17,26; 15:26; 16:13,14).

Além de uma exegese vulnerável, o romanismo lançou mão de documentos espúrios para consolidar a instituição do papado. O cânon niceno reconhecia a paridade de jurisdição de Alexandria, Antioquia e Roma, porém apareceu mais tarde uma tradução latina com o título "Roma sempre teve o primado".

Nicolau I fortaleceu o papado em 853 com vários documentos falsos e forjados, procurando provar que se tratava de uma instituição que remonta aos tempos apostólicos. Incorporados ao direito canônico, esses documentos foram usados por seiscentos anos como prova máxima da supremacia papal sobre a igreja e o Estado. Segundo tais documentos espúrios, a Sé romana é a cabeça, o coração, a mãe e a cúpula de todas as igrejas, e não está sujeita a tribunal algum.

O catolicismo foi elevado a uma posição de poder mundial com as doações de terras à igreja por Carlos Magno em 774, surgindo assim o Sacro Império Romano sob a autoridade do papa-rei, que durou 1.100 anos. Na hora da morte, Carlos Magno arrependeu-se de doar territórios aos papas. O papado esteve setenta anos em Avinhão, na França. Voltou a ocupar o Vaticano em 1377, trazido por Gregório XI.

Vítor Emanuel derrotou as "tropas do papa", pondo fim ao Sacro Império Romano no dia 20 de setembro de 1870. Os papas ficaram confinados no Vaticano até 1929, quando Mussolini e Pio XI, no Tratado de Latrão, legalizaram o Estado religioso do Vaticano.

Além de usurpar o lugar da Trindade, os papas, muitas vezes, lutaram com mão de ferro para perseguir aqueles que professavam uma fé genuína nas Escrituras.

Em 1208, exterminaram os cristãos albigenses na França. Na Espanha, foram mais de trezentos mil martirizados e mais de dois milhões banidos. Carlos I (1500-1550) eliminou, por ordem do papa, cinquenta mil cristãos alemães.

O papa Pio V, nos anos 1566 a 1572, exterminou cem mil anabatistas. Em 1590, foram eliminados cerca de duzentos mil huguenotes. O monarca alemão Fernando II, instigado pelos jesuítas, começou a Guerra dos Trinta Anos (1618-1648), que ceifou a vida de quinze milhões de pessoas.

Por uma questão pedagógica, podemos dividir a história da igreja em períodos distintos. O primeiro deles vai do século 1 ao século 5 e pode ser classificado como o período da patrística ou dos pais da igreja. Tivemos nesse período homens piedosos que viveram com poder a vida cristã; entre eles, citamos Inácio, Policarpo, Justino, Orígenes, Ireneu, Clemente de Alexandria, Tertuliano e Agostinho.

Na época dos pais da igreja, tivemos o importante período dos grandes concílios, basicamente empenhados em grandes batalhas cristológicas. Em 325, aconteceu o primeiro concílio geral da igreja, quando Atanásio refutou as ideias heréticas de Ário, reafirmando a doutrina insofismável da divindade de Cristo.

Em 381, no Concílio de Constantinopla, a igreja reafirmou a doutrina da perfeita humanidade de Cristo. No Concílio de Calcedônia, em 451, a igreja reafirmou que "Jesus Cristo é verdadeiramente Deus e verdadeiramente homem; segundo a divindade, consubstancial com o Pai; segundo a humanidade, consubstancial a nós". Ali ficava confirmada a doutrina da natureza teantrópica, ou seja, a natureza divino-humana de Jesus Cristo.

Foi, porém, em 416, no Sínodo de Cartago, que o maior expoente da igreja nesse período, Agostinho de Hipona, derrubou uma das grandes heresias que grassavam na igreja, disseminada por Pelágio. Este pregava que Adão fora criado mortal; que o pecado de Adão só havia contaminado a si próprio, e não a raça humana; que as crianças estão no mesmo estado de Adão antes de pecar e que o homem tem pleno poder de observar a lei. Agostinho, firmado na palavra de Deus, reafirmou a doutrina bíblica da depravação total do homem e de sua absoluta incapacidade em ser salvo sem a operação soberana da graça de Deus.

Chamo a atenção para o fato de que nem sempre a decisão conciliar de uma igreja resolve o problema efetiva e eficazmente nas bases. No Concílio de Niceia, em 325, Atanásio triunfou sobre as teses heréticas de Ário, reafirmando que Jesus Cristo é coigual, coeterno e consubstancial com o Pai, mas o que se vê depois é o ressurgimento e a propagação da heresia ariana no meio da igreja. O próprio imperador Constantino, mais tarde, curva-se aos postulados de Ário.

Agostinho também derrotou com argumentos absolutos e irresistíveis as teses de Pelágio, mas o pelagianismo não morreu; pelo contrário, posteriormente, no século 17, lá estava a Holanda enfrentando uma grande tensão com o semipelagianismo no Sínodo de Dort. Embora ao final desse magno concílio a doutrina da graça tenha sido reafirmada, resumida no que conhecemos como os cinco pontos do calvinismo, o semipelagianismo sobreviveu e está presente hoje em vários segmentos evangélicos.

Um segundo período na história da igreja vai do século 5 ao século 15, também chamado de Idade Média, escolástica ou idade das trevas. Nesse milênio tenebroso, a Palavra de Deus permaneceu inacessível ao povo.

Foi um tempo de ascensão e fortalecimento do papado. O papa tornou-se soberano na economia, na política e na religião. A igreja corrompeu-se e apartou-se da simplicidade e pureza do evangelho.

Heresias gritantes foram introduzidas na igreja, tais como a oração pelos mortos; o sinal da cruz; o uso de velas; a veneração dos anjos e santos falecidos; o uso de imagens de escultura como objetos de veneração; a missa como sacrifício incruento de Cristo; a exaltação de Maria como mãe de Deus, imaculada, intercessora, mediadora, corredentora, rainha do céu; a extrema-unção; o purgatório; a adoração da cruz, de imagens e relíquias; a água benta; a canonização dos santos mortos; o celibato; o rosário; a Inquisição; a venda de indulgências; a transubstanciação; a confissão auricular; a adoração da hóstia; a proibição da Bíblia aos leigos; a proibição do cálice ao povo na comunhão; a doutrina dos sete sacramentos e muitos outros desvios doutrinários.

Esse, sem dúvida, foi um tempo de ignorância espiritual, trevas espessas e declínio vertiginoso, em que a igreja passou a ser guiada por homens ímpios e por teologias forâneas às Escrituras.

O estado de decadência e apostasia da igreja exigia uma reforma. Foi o que Deus preparou! Muitas vezes, quando os homens pensam que a igreja está falida, arruinada, reduzida a cinzas, o Senhor olha do céu, sopra sobre ela um alento de vida e coloca seu povo de pé. Ele sempre continua soprando seu Espírito no vale de ossos secos, levantando daí um exército.

Na verdade, Deus nunca deixa de ter na terra um remanescente fiel, uma lâmpada acesa na história. Há os que nunca se dobraram a Baal.

Assim, começamos a ver a preparação de Deus para o maior mover do Espírito no meio da sua igreja depois do Pentecostes, desembocando na Reforma.

5

A PREPARAÇÃO PARA A REFORMA

Depois de mais de um milênio de trevas e apostasia, quando a igreja paulatinamente foi invadida por diversas heresias perniciosas, começa, enfim, a aparecer a luz.

A RENASCENÇA

Nos séculos 14 e 15, surge, no norte da Itália, o movimento cultural da *Renascença*, que foi uma desvinculação da economia, das artes, da ciência, da política e da religião da tutela de Roma. O controle absoluto da igreja foi enfraquecendo, e os homens começaram a libertar-se do cativeiro milenar.

Houve também, fruto da Renascença, uma volta aos clássicos, e assim o povo começou a estudar o Novo Testamento no grego original, verificando quantas distorções haviam sido introduzidas no cristianismo. Fato igualmente importante foi a invenção da imprensa por Johannes Gutenberg, em 1450, possibilitando a impressão de grande número de exemplares da Bíblia e outras obras escritas pelos reformadores.

Cinco foram as áreas básicas que a Renascença tocou, abalando assim o domínio absoluto da igreja e rompendo a sua tutela:

Economia

Até a Renascença, a Igreja Romana mantinha total controle sobre a economia. Sua política econômica incentivava o voto à pobreza, enquanto seus cofres se abarrotavam de dinheiro. Era virtuoso ser pobre.

A igreja proibia o empréstimo de dinheiro a juros. Nesse tempo, porém, surge na Europa uma nova classe social, a burguesia. Através das viagens intercontinentais, as companhias de navegação descobriram novos mundos, descortinando largos horizontes de exploração de riquezas.

A rota das Índias, o descobrimento das Américas e do Brasil abriram clareiras para uma reviravolta no conceito arcaico da economia, conforme visto pela igreja. Assim, ela perdeu sua tutela sobre a economia, possibilitando a explosão da classe burguesa.

Artes

A igreja mantinha absoluto controle também sobre as artes. Quando um artista ia cinzelar uma estátua ou um pintor ia esboçar a imagem de uma personagem famosa em uma tela, fazia o rosto da pessoa e o corpo de um anjo. Tudo devia ser vazado pela visão do sagrado e interpretado pela hermenêutica da igreja.

Entretanto, surgem nesse tempo os grandes luminares da escultura e da pintura, como Leonardo da Vinci e Michelangelo. Este último concluiu apenas catorze obras de escultura, sendo as principais Davi, Moisés e a Pietá, retratando a beleza do corpo humano como Deus o criou, sem a visão espiritualizada da igreja. Isso arrancou das mãos dela o controle sobre o mundo das artes.

Ciência

Ao longo dos séculos, o romanismo promoveu o obscurantismo, mantendo o povo, tanto quanto possível, sob o manto da ignorância. As nações colonizadas pelo romanismo ficaram em grande desvantagem cultural, econômica, social e espiritual.

A igreja defendia a tese de que o mundo era geocêntrico, ou seja, a terra era o centro do universo. Entretanto, o cientista Nicolau Copérnico contestou essa tese, afirmando que o mundo era heliocêntrico, ou seja, que o sol era o centro do universo.

Essa asseveração causou grande rebuliço e não pouca inquietação no meio da igreja. Mais tarde, Galileu Galilei, discípulo de Copérnico, é preso por essas convicções e tem de retratar-se para poupar sua vida. Contudo, esse desabrochar de ideias minou o domínio absoluto da igreja sobre o campo científico.

Política

Havia um verdadeiro concubinato entre a igreja e o Estado, entre o poder clerical e o poder político. Não se sabia ao certo o limite entre o poder do papa e o poder do imperador. A igreja fazia incursões na política e exercia ingerência no poder civil, até que Maquiavel escreveu a obra *O príncipe*, defendendo a tese de que igreja e Estado precisam ser independentes.

Segundo o autor, o Estado precisa ser leigo, e a igreja não pode interferir nas decisões do Estado. Os dois poderes precisam ser independentes. Assim, a igreja perdeu também a tutela sobre a política.

Religião

A religião estava sob rigoroso controle da igreja de Roma. A única versão disponível era a Vulgata, traduzida por Jerônimo, em latim. O povo não conhecia latim, e os sacerdotes que conheciam o latim não conheciam a Bíblia.

A Bíblia não era lida pelos leigos. Se alguém ousava lê-la, tinha de interpretá-la pela hermenêutica da igreja. O mais importante não era o texto bíblico, mas as notas de rodapé. Ninguém podia olhar para a Bíblia, senão com os óculos da igreja. Esta tentou encabrestar a palavra de Deus e manietar as consciências. Mas Martinho Lutero, monge agostiniano, certo dia abriu a Bíblia e leu que *o justo viverá por fé* (Romanos

1:17). Esta verdade explodiu em seu peito. Ele reconheceu que a aceitação do homem por Deus não depende de seus méritos nem de suas obras. A justificação não se dá mediante as obras da lei, mas pela fé em Cristo Jesus.

Assim, todo o domínio da igreja sobre a consciência das pessoas foi quebrado, e ela perdeu seu controle sobre a religião. Estava aberto o caminho para a Reforma.

OS PRÉ-REFORMADORES

Destacamos a vida e o trabalho de três homens que foram os precursores da Reforma no século 16, vítimas de brutal perseguição por parte da Igreja Romana.

John Wycliffe

Nascido na Inglaterra, no século 14, filho de camponeses, viveu durante a época do "cativeiro babilônico" do papado. Erudito, mestre famoso na Universidade de Oxford, onde estudou e passou a maior parte da sua vida, era um polemista demolidor, escritor fluente, pregador ungido.

Foi cognominado de A Estrela da Alva da Reforma. Era respeitado em todas as classes sociais. Identificava-se com os pobres, interessando-se pelos seus problemas. Expunha-lhes as Escrituras em linguagem simples. Os fidalgos eram seus amigos, porque ele os ajudava a resistir ao clero.

Condenou com veemência o poder exorbitante do papado. Condenou com austeridade a doutrina da transubstanciação, taxando-a de magia e superstição. Defendia a tese de que a verdadeira igreja é formada pelos eleitos de Deus, e não pelos poderosos eclesiásticos.

Iniciou com grande bravura a tradução da Bíblia para o inglês, a língua comum do povo. Compreendia que a autoridade da igreja não está em sua hierarquia nem na tradição, mas na palavra de Deus. Foi duramente perseguido.

Preso vários meses em sua casa, escreveu livros que influenciaram corações. Em 1381, retirou-se para a sua paróquia em Lutterworth, onde continuou a escrever e a traduzir a Bíblia, isso até sua morte, em 1384.

Anos depois, no Concílio de Constança, foi condenado como herege. Seus restos mortais foram exumados e queimados, e suas cinzas foram lançadas no rio Swift.

Após sua morte, seus seguidores, os lolardos, saíram pela Inglaterra divulgando as doutrinas de Wycliffe entre o povo, condenando as heresias do romanismo e levando a cabo a tradução da Bíblia para o inglês.

Jan Hus

Nasceu em 1370 na Boêmia (hoje República Checa) e ingressou na Universidade de Praga aos 16 anos. A partir daí, passou o restante da sua vida na capital, exceto seus dois últimos anos de encarceramento em Constança, de onde saiu para ser queimado vivo.

Em 1402, foi nomeado reitor e pregador da Capela de Belém, onde suas mensagens fervorosas e bíblicas desencadearam um movimento reformador.

No mesmo ano, ocupou a reitoria da universidade, o que favoreceu o avanço dos ideais da Reforma.

Na sua pregação, condenava os abusos da igreja e conclamava o povo a voltar-se para a Bíblia e suas verdades práticas. As obras de Wycliffe caíram nas mãos de Hus e muito o influenciaram. Ele continuou a pregar com desassombro e poder.

Vieram ordens expressas do papa para que Hus deixasse de pregar. Mas ele tomou a decisão de não atendê-lo e continuou pregando. Outras ordens vieram, e Jan Hus não as acatou. Foi convocado para ir a Roma e, por não ter ido, foi excomungado.

Jan Hus continuou pregando e defendendo que a autoridade final da igreja é a Bíblia, e não o clero. Combateu a heresia das indulgências. Foi excomungado novamente em 1412 por não ter comparecido diante da corte papal. Por causa da perseguição, precisou mudar-se para o sul da Boêmia, onde continuou a escrever e a pregar.

Mais tarde foi convidado a comparecer ao Concílio de Constança para se defender. Pediram que ele se retratasse de suas doutrinas evangélicas. Em razão da sua posição irredutível, Jan Hus foi preso em sua casa, no palácio do bispo e depois em vários conventos.

Na prisão, castigaram-no com escassez de pão, na esperança de que retrocedesse em suas posições, mas Hus com bravura declarou: "Apelo a Jesus Cristo, o único Juiz todo-poderoso e totalmente justo. Em suas mãos deponho a minha causa, pois ele há de julgar cada um não com base em testemunhos falsos e concílios errados, mas com base na verdade e na justiça".

Por fim, no dia 6 de julho de 1415, depois de grande escárnio, queimaram seus livros e levaram-no para a fogueira. No suplício da fogueira, Jan Hus morreu clamando misericórdia a Deus pelos seus inimigos e cantando salmos. Em meio às chamas, Jan Hus profetizou: "Hoje vocês estão matando um ganso (*Hus*), mas em breve Deus levantará uma águia (Lutero), e a ela vocês não poderão matar". Depois da morte desse mártir do cristianismo, a perseguição romana tornou-se ainda mais cruel, o que contribuiu para o crescimento e o fortalecimento dos princípios evangélicos no meio do povo checo. Cento e dois anos depois de sua morte, o estandarte da Reforma estava sendo erguido por Martinho Lutero.

Girolamo Savonarola

Na Florença italiana do século 15, outro destemido pré-reformador se levantou nas barbas de Roma. Girolamo Savonarola era monge dominicano. Pregou com veemência sobre os desvios do papa, atacou com vigor os vícios do clero e denunciou com grande poder o torpor espiritual de sua época.

O papa tentou seduzi-lo oferecendo-lhe um posto de cardeal, mas ele recusou. Sua pregação ungida abalou as estruturas de Roma. As multidões se ajuntavam para ouvi-lo. Sua cidade começou a mudar os hábitos por causa de sua pregação fervorosa. Savonarola foi preso, julgado e morto pela Inquisição: foi queimado na fogueira em 1449. O caminho estava pavimentado para a Reforma. O sangue desses mártires preparou o solo para a semente da Reforma do século 16.

6

A Reforma

A Reforma foi um movimento que visou trazer a igreja à pureza original do cristianismo segundo o Novo Testamento. Depois do Pentecostes, a Reforma do século 16 foi o maior movimento espiritual ocorrido dentro da igreja. Representou uma volta à Bíblia, ao ensino dos apóstolos e, por consequência, uma rejeição total a qualquer doutrina sem base nas Escrituras. Vejamos alguns destaques dos principais reformadores:

Martinho Lutero (1483-1546)

Alemão, filho de camponeses, tornou-se monge agostiniano e entrou para o convento em Erfurt. Buscava com avidez a salvação de sua alma. Em 1512, aos 29 anos, o texto de Romanos 1:17, *O justo viverá por fé*, explodiu como bomba em seu coração. Ali ele descobriu a gloriosa doutrina da justificação pela fé.

Mais tarde, quando o papa Leão X estava construindo a Basílica de São Pedro, seu emissário Johannes Tetzel foi à Alemanha vender indulgências, que ofereciam redução das penas do purgatório. Convencido de que o tráfico de indulgências desviava o povo da verdade, oferecendo-lhe falsas esperanças, Lutero decidiu enfrentar esse abuso e, no dia 31 de outubro de 1517, pregou nas portas da Igreja de Wittenberg as 95 teses contra as indulgências. Estava deflagrado o movimento da Reforma.

Essas teses foram um golpe no poder papal e no poder da igreja, que se desviara da fé apostólica. As teses combateram o pretenso poder da igreja de ser mediadora entre o homem e Deus, vendendo o perdão dos pecados. Lutero foi excomungado pelo papa. Em 1521, em Worms, na Dieta Imperial, sob ameaça de morte, ele defendeu sua fé diante do imperador, clérigos, nobres, condes e embaixadores. Concitado a retratar-se de suas obras, disse com coragem invulgar: "A menos que vocês me convençam pelas Escrituras que eu estou errado, não me retratarei, pois não é lícito a um homem agir contra a sua consciência. Aqui me firmo e aqui me estabeleço. E que Deus me ajude". Ao sair da Dieta de Worms, Lutero foi raptado pelos seus aliados e levado para um castelo, onde ficou mais de dez anos, atrás de um biombo, trabalhando duramente na tradução do Novo Testamento para a língua alemã.

A partir daí, o evangelho passou a ser pregado na língua do povo. Nos púlpitos e nos bancos das igrejas, havia cópias da Bíblia traduzida por Lutero. Cantavam-se por toda a Alemanha hinos evangélicos e salmos, muitos dos quais escritos pelo próprio Lutero. Dentre eles, destacava-se a "Marselhesa da Reforma", "Castelo forte". Dentro de trinta anos, a igreja cristã na Alemanha tinha sido reformada, como ninguém jamais poderia ter sonhado.

Os abundantes escritos de Lutero tiveram larga aceitação. E assim o movimento se espalhou pela Boêmia (hoje República Checa), Hungria, Polônia, Inglaterra, Escócia, França, Países Baixos, Escandinávia e até mesmo pela Espanha e Itália.

Ulrico Zuínglio (1484-1531)

Reformador suíço, o trabalho de Zuínglio se desenvolveu em Zurique (na Suíça). Suas principais defesas eram: 1) o sacerdócio de todos os cristãos; 2) a salvação pela fé em Cristo, e não pelas obras exigidas pela igreja; 3) a autoridade suprema da Bíblia acima da igreja papal. Zuínglio também combateu com tenacidade o primado do papa, a missa e o celibato do clero.

João Calvino (1509-1564)

Foi o grande cérebro da Reforma e o sistematizador das doutrinas reformadas. Francês, filho de um rico advogado ligado ao clero, Calvino recebeu formação humanista. Em 1533, declarou-se protestante e teve de fugir de Paris em virtude de inesperada perseguição. Calvino escreveu inúmeras obras, inclusive comentários de quase todos os livros da Bíblia.

Aos 26 anos, escreveu a principal obra da Reforma, As institutas da religião cristã, até hoje marco e referencial da teologia reformada em todo o mundo. Essa famosa obra, composta de quatro livros, inspirou-se no Credo Apostólico: 1) Creio em Deus Pai; 2) Creio em Deus Filho; 3) Creio em Deus Espírito Santo; 4) Creio na igreja. A referida obra foi dirigida a Francisco I, rei da França, numa tentativa de defender os protestantes daquele país, que acabaram sendo perseguidos, torturados e mortos por causa de sua fé em Cristo.

Convidado por Guilherme Farel em 1536, Calvino ficou em Genebra para ajudar na implantação da Reforma. A cidade, não madura para a Reforma, rechaçou-os e expulsou-os. Calvino passou três anos em Estrasburgo, como pastor de uma igreja de protestantes franceses. Em 1541, voltou a Genebra, a pedido das autoridades religiosas, pois a cidade se corrompia galopantemente.

Calvino realizou uma extraordinária obra de pregação, ensino, disciplina e educação do povo, transformando Genebra numa verdadeira maquete do reino de Deus na terra e num grande celeiro de missionários para o mundo, inclusive enviando em 1557, a pedido de Villegagnon, catorze missionários para o Brasil, cinco dos quais foram mortos com requintes de crueldade, tornando-se os primeiros mártires do protestantismo em terras brasileiras.

A influência de Calvino como teólogo e pensador extrapolou os horizontes da igreja e tem seus reflexos até hoje na história. Ele influenciou a economia com o seu humanismo social e também a educação ao criar um sistema educacional de primeira ordem: seus planos resultaram no estabelecimento de um sistema escolar livre e completo, culminado pela academia, instituição de grau universitário, no qual não faltava o curso de teologia.

JOHN KNOX (1513-1572)

É chamado de pai do presbiterianismo. Educado na Universidade de Glasgow, implantou a Reforma na Escócia, onde foi preso pelo exército francês, trabalhando dezenove meses como escravo nas galés militares francesas, até a sua libertação em troca de prisioneiros.

Eduardo VI, rei da Inglaterra, ofereceu-lhe o bispado de Rochester, mas ele recusou, preferindo ser um capelão real. Com a ascensão de Maria Tudor, cognominada Maria, a Sanguinária, ao trono inglês, Knox fugiu da Inglaterra, indo pastorear um grupo de exilados em Frankfurt.

John Knox também esteve com Calvino, em Genebra. Em 1559, com a morte de Maria Tudor, ele voltou à Escócia e trabalhou arduamente para implantar a Reforma no seu país. Em noites de vigília e oração, clamava: "Ó Deus, dá-me a Escócia para Cristo, senão eu morro". Em 1560, o Parlamento escocês, orientado pelo próprio John Knox, começou a obra da Reforma, pondo fim ao domínio do papa sobre a igreja escocesa, declarando ilegal a missa e revogando todos os decretos contra os "hereges". Assim, a partir de 1560, a igreja escocesa deixou de ser católica e tornou-se presbiteriana.

PRINCÍPIOS BÁSICOS DA REFORMA

A Reforma deitou por terra os postulados católicos romanos e voltou a erigir as colunas da doutrina apostólica. Podemos sintetizar as ênfases da Reforma em cinco pontos distintos e axiais:

Sola Scriptura — Só as Escrituras

Os reformadores reafirmaram a supremacia das Escrituras sobre a tradição. A Palavra de Deus é inerrante, infalível e suficiente. A Bíblia é a única regra de fé e prática. Todas as doutrinas e ensinos estranhos às Escrituras devem ser rejeitados. A autoridade da igreja precisa estar debaixo da autoridade das Escrituras. Nenhum dogma ou experiência podem ser aceitos se não tiverem base na palavra de Deus.

Eis o que diz o artigo V da Confissão da Igreja Reformada da França, adotada em 1559:

> Não é lícito aos homens, nem mesmo aos anjos, fazer, nas Santas Escrituras, qualquer acréscimo, diminuição ou mudança. Por conseguinte, nem a antiguidade, nem os costumes, nem a multidão, nem a sabedoria humana, nem os pensamentos, nem as sentenças, nem os editos, nem os decretos, nem os concílios, nèm as visões, nem os milagres devem contrapor-se a estas Santas Escrituras; mas, ao contrário, por elas é que todas as coisas se devem examinar, regular e reformar.

Sola fide — Só a fé

Os reformadores sublinhavam também a supremacia da fé sobre as obras para a salvação. A salvação não é mérito humano, conquistado pela prática de boas obras, mas é obra de Deus, recebida de graça pelo homem, mediante a fé em Cristo. A salvação não resulta do somatório de fé mais obras. A salvação é dom de Deus, recebido exclusivamente pela fé em Cristo (Efésios 2:8,9; Romanos 1:17).

Sola gratia — Só a graça

Os reformadores reafirmaram a doutrina apostólica de que somos salvos pela graça. A graça é um dom imerecido de Deus a nós. O salário do pecado é a morte. Merecemos o juízo, a condenação, o inferno, mas Deus, pela sua infinita misericórdia, suspende o castigo que merecíamos e nos dá a salvação que não merecemos. Isso é graça!

Solus Christus — Só Cristo

Os reformadores deitaram por terra a heresia romana que afirmava ser o papa o "sumo pontífice", ou seja, o supremo mediador. Estribados na doutrina bíblica, reafirmaram que só Cristo é o mediador entre Deus e os homens (1Timóteo 2:5; João 14:6) e o único e todo-suficiente Salvador (Atos 4:12). Nem Maria, nem os santos, nem os anjos podem ser nossos intercessores junto a Deus; isso é usurpação do ofício mediador de Cristo.

Soli Deo Gloria — Só a Deus glória

Os reformadores enfatizaram, calçados pela verdade, que a glória pertence somente a Deus. Ele não divide sua glória com ninguém. Portanto, toda glória dada ao homem é glória vazia, é vanglória, é idolatria, é abominação para Deus. O supremo propósito do homem é glorificar a Deus e desfrutá-lo para sempre. Deus é tanto mais glorificado em nós quanto mais nos deleitamos nele.

O sacerdócio universal dos crentes

O homem não precisa de intermediários para chegar a Deus. O véu do templo foi rasgado de alto a baixo. Todos têm agora livre acesso à presença de Deus. Todos os que creem em Cristo são sacerdotes que podem chegar livremente à presença de Deus por meio de Cristo. Derrubam-se os velhos conceitos de clérigo e leigo e cai por terra a hierarquia espiritual no reino de Deus.

A CONTRARREFORMA

A Contrarreforma foi um movimento católico de oposição cerrada ao protestantismo, visando reorganizar a igreja para aniquilá-lo. Para isso, a Igreja Católica usou alguns expedientes: foi criada a ordem Companhia de Jesus, fundada por Inácio de Loyola (1491-1556). Seu grande objetivo era trazer de volta ao seio de Roma aqueles que a haviam abandonado, quebrando assim toda a força dos seus oponentes e aniquilando todo o ensino contrário aos da Igreja Romana. Para atingir esses objetivos, todos os expedientes foram usados. Daí surgiu a ética jesuítica de que "os fins justificam os meios". Essa sociedade prestou ao papa lealdade incondicional e tornou-se poderosa máquina para esmagar os protestantes e dissidentes. Foi a mão direita que acionou a perversa Inquisição.

O Concílio de Trento

Outro grande elemento de combate à Reforma foi o Concílio de Trento, que durou dezoito anos, tendo iniciado em 1545. Forneceu à Igreja Romana uma declaração completa de sua doutrina, enfatizando a franca oposição ao protestantismo. Foi nesse concílio que os livros apócrifos foram incluídos no cânon, para dar sustentação a algumas doutrinas estranhas às Escrituras defendidas pela Igreja Romana.

A Inquisição

Reacendeu-se a crença medieval de que era justo o uso da força contra a heresia. Além de incitar os governos contra os protestantes, a Igreja Romana, pela Inquisição, esmagou o que havia de protestantismo na Espanha e na Itália. Em vários outros países, como Portugal e França, a Inquisição foi arrasadora no massacre aos protestantes. Até no Brasil ela esteve presente no século 18.

O Índex

O Índex condenava os livros com os quais a Igreja Romana não concordava. Era a repressão no campo das ideias teológicas. A lista de livros condenados incluía todos os escritos protestantes e todas as versões da Bíblia, exceto a Vulgata Latina.

O Índex não se limitava a combater as crenças protestantes, mas, igualmente, todo pensamento que conduzisse ao progresso; pesquisas e estudos de toda natureza foram praticamente aniquilados na Itália e na Espanha. Assim, a Igreja Romana tornou-se a patrona do obscurantismo religioso e cultural no mundo.

Conflitos na Europa após a Reforma

O período pós-Reforma foi extremamente turbulento. As batalhas foram travadas tanto no campo da teologia como na medida de forças físicas. Vejamos alguns exemplos:

A perseguição dos huguenotes na França

Os calvinistas franceses, chamados de huguenotes, foram perseguidos e assassinados na França com crueldade indescritível. Foram caçados, torturados, presos e mortos com desumanidade. Várias foram as razões para essa perseguição.

A Sorbonne

A Faculdade Teológica da Universidade de Paris e o Parlamento eram hostis a toda inovação doutrinária na França.

A rainha Catarina de Médici

A partir de 1559, o governo francês caiu nas mãos de Catarina de Médici, que, educada na escola maquiavélica, estava disposta a sacrificar a vida dos súditos para alcançar a realização de suas ambições políticas.

O Massacre de São Bartolomeu

Esse crime hediondo ocorreu na fatídica noite de 24 de agosto de 1572, quando setenta mil calvinistas franceses foram esmagados e mortos numa noite de traição, fato comemorado efusivamente pelo papa. Rios de sangue jorraram de homens e mulheres que ousaram crer em Cristo e professar sua fé no Salvador.

Milhares foram torturados e mortos para nos legar a bendita herança do evangelho. Esses fazem parte daquela nuvem de testemunhas que não amaram a própria vida para legar às gerações futuras o sacrossanto evangelho.

A influência do rei Filipe II da Espanha

Ao tomar conhecimento do Massacre da Noite de São Bartolomeu, o rei da Espanha, Filipe II, ardoroso católico e genro de Catarina de Médici, encorajou sua sogra a agir ainda com maior despotismo e violência, buscando exterminar os huguenotes da França e assim varrer todo o vestígio de protestantismo daquela terra.

A proibição do protestantismo na França

Em 1865, o rei da França promulgou o Edito de Fontainebleau, revogando o Edito de Nantes. A partir de então, tornou-se ilegal ser protestante na França. Como resultado dessa lei infame, os huguenotes partiram em massa para a Suíça, Alemanha, Inglaterra, Países Baixos e a Nova Inglaterra. Esse fato desequilibrou a economia do país, o que conduziu à Revolução Francesa. Nesse período, milhares de calvinistas franceses foram enviados às galés para um trabalho extenuante até a morte, e milhares de mulheres foram condenadas à prisão perpétua.

A Guerra dos Trinta Anos na Alemanha

Na Alemanha, travou-se uma batalha sangrenta entre católicos e protestantes, na qual morreram milhões de pessoas. Essa guerra durou trinta anos, ou seja, de 1618 a 1648. A Paz de Westfália pôs fim à sangrenta guerra.

A batalha teológica na Holanda

O pelagianismo que Agostinho vencera no Sínodo de Cartago em 416 não estava completamente morto. Sobreviveu dentro da Igreja Romana. Hoje está parcialmente atuante em segmentos da igreja protestante. Jacó Armínio, num declarado semipelagianismo, espalhou na Holanda um evangelho que despojava Deus de sua plena soberania na salvação, num antropocentrismo velado. A Igreja Reformada da Holanda convocou o Sínodo de Dort, composto por uma plêiade de doutos e piedosos teólogos, que debruçaram sobre o assunto nos anos 1618 e

1619. Nesse egrégio concílio, as teses de Armínio foram refutadas e fincou-se ali um dos maiores esteios da ortodoxia bíblica, vazada pela visão reformada, conhecido como os cinco pontos do calvinismo. Abaixo veremos esses cinco pontos:

Depravação total

O homem natural está cego, surdo, endurecido e morto nos seus delitos e pecados, e todas as suas faculdades foram atingidas e afetadas pelo pecado. Isso não significa dizer que o homem está depravado no seu estado máximo, mas significa que toda as áreas de sua vida foram manchadas pelo pecado: sua razão, sua emoção e sua vontade.

O homem não sofreu apenas um arranhão na Queda, mas tornou-se rebelde contra Deus. É inimigo de Deus. Nasce em pecado e se desvia desde sua concepção. Está depravado, prisioneiro e condenado. É escravo da carne, do mundo e do diabo. Não pode, por si mesmo, voltar-se para Deus. A inclinação da sua carne é inimizade contra Deus. A não ser que Deus o desperte, perecerá inevitavelmente. Portanto, é Deus quem dá a ele o arrependimento para a vida e a fé salvadora. É Deus quem tira seu coração de pedra e lhe dá um coração de carne. É Deus quem tira as vendas de seus olhos e o tampão de seus ouvidos. A salvação é uma obra exclusiva de Deus.

Eleição incondicional

É Deus quem escolhe o homem, e não o homem quem escolhe Deus. A eleição é incondicional, eterna e cristocêntrica. É baseada não nas obras humanas, mas na graça de Deus.

Deus não escolhe o homem por causa de sua fé, mas para a fé. A fé não é a causa da eleição, mas sua consequência. A Bíblia diz que creram todos os que foram destinados para a salvação (Atos 13:48). Deus não elege o homem por causa de sua santidade, mas para a santidade (Efésios 1:4). A santificação não é a causa da eleição divina, mas seu resultado. Deus não escolhe o homem para a salvação por causa de suas boas obras, mas para as boas obras (Efésios 2:10). As boas obras não são a causa da salvação, mas a sua evidência. A eleição não foi feita no tempo, mas na eternidade (2Timóteo 1:9). Não é baseada no mérito, mas na graça. Não é escolha humana, mas determinação divina.

Expiação limitada

Cristo morreu não apenas para possibilitar a nossa salvação, mas para nos salvar. Sua morte foi vicária, ou seja, substitutiva. Ele morreu em nosso lugar, em nosso favor, como nosso representante e fiador. Ele deu sua vida pelas suas ovelhas, pela sua igreja, pela sua noiva (João 6:36-44). Assim, todo aquele por quem Cristo morreu teve, na cruz, sua dívida paga, seus pecados cancelados.

Na visão reformada, a eficácia da morte de Cristo é limitada em seu alcance e ilimitada em sua eficácia, enquanto na visão arminiana é limitada quanto à sua eficácia e ilimitada em seu alcance. Segundo a visão reformada, todo aquele a quem o Pai escolheu na eternidade, por esse Cristo morreu na cruz. Assim, nenhuma gota do sangue de Jesus foi desperdiçada. Ele morreu para comprar para Deus aqueles que procedem de toda tribo, língua, povo e nação (Apocalipse 5:9).

O plano de Deus é perfeito e não pode ser frustrado (Jó 42:2). O apóstolo Paulo é categórico: *E aos que predestinou, a esses também chamou; e aos que chamou, a esses também justificou; e aos que justificou, a esses também glorificou* (Romanos 8:30). Jesus Cristo foi enfático: *Todo aquele que o Pai me dá, esse virá a mim; e o que vem a mim, de modo nenhum o lançarei fora* (João 6:37). A morte de Cristo foi plenamente eficiente para salvar os eleitos, e o sangue de Cristo foi plenamente eficaz para redimi-los.

Vocação eficaz

Todo aquele que foi eleito por Deus, e por quem Cristo morreu, é chamado pelo Espírito Santo, mediante o evangelho, para a salvação. Paulo diz que a predestinação divina é seguida pelo chamamento divino, aqueles que são eficazmente chamados são declarados justos por Deus e a esses é garantida a glorificação (Romanos 8:30). É impossível que aqueles que são dados pelo Deus Pai ao Deus Filho deixem de vir a ele (João 6:37). Jesus afirmou que suas ovelhas ouvem a sua voz e o seguem (João 10:27).

Perseverança dos santos

É impossível que alguém que foi eleito na eternidade e por quem Cristo morreu, que foi chamado eficazmente, convertido, transformado e selado com o Espírito Santo, possa vir a perecer eternamente. Uma vez salvo, sempre salvo. A salvação não é temporal, mas eterna. Jesus foi enfático em dizer: *As minhas ovelhas ouvem a minha voz; eu as conheço, e elas me seguem. Eu lhes dou a vida eterna; jamais perecerão, e ninguém as arrebatará da minha mão* (João 10:27,28). Jesus ainda foi claro ao dizer: *Todo aquele que o Pai me dá, esse virá a mim; e o que vem a mim, de modo nenhum o lançarei fora* (João 6:37). O apóstolo João é oportuno, quando escreve: *Estas coisas vos escrevi, a fim de saberdes que tendes a vida eterna, a vós outros que credes em o nome do Filho de Deus* (1João 5:13).

Esses cinco pontos tornaram-se um parâmetro teológico para as igrejas reformadas.

7

O PURITANISMO

Antes de falar dos puritanos, precisamos entender o contexto histórico em que surgiram. Eles nasceram num tempo de forte tensão política na Inglaterra e se fortaleceram debaixo de muita perseguição. Cresceram sob constante ameaça de forças hostis. Influenciaram o mundo com suas ideias, com seus valores e sobretudo com um estilo de vida digno de ser imitado. Importa-nos fazer uma retrospectiva.

A HISTÓRIA

Henrique VIII

Em 1534, Henrique VIII, rei da Inglaterra, rompeu com o papa não por convicção religiosa, mas por conveniência pessoal. Ele queria divorciar-se e casar-se com Ana Bolena. Como não conseguiu permissão do papa para divorciar-se e casar novamente, rompeu com a Igreja Romana e criou uma nova igreja na Inglaterra, a Igreja Anglicana. Ana Bolena não lhe deu o filho para sucedê-lo. Por isso, ele casou-se várias vezes.

A partir daí, passou a ser o chefe da igreja e do Estado. Conservou na Igreja Anglicana uma liturgia muito semelhante à liturgia católica. As pessoas que saíam da Inglaterra para o continente, ao entrar em contato com a genuína Reforma, percebiam que na Inglaterra ela ainda não tinha ido suficientemente longe. Eles queriam mudanças. Eles protestaram. Os que voltaram do continente influenciaram o pensamento inglês rumo à Reforma, por isso houve perseguição aos protestantes no governo de Henrique VIII até o fim do seu reinado em 1547.

Eduardo VI

Em 1547, subiu ao trono seu filho, Eduardo VI, que começou a imprimir uma nova feição à igreja sob a influência do arcebispo Cranmer e de seus companheiros Latimer e Ridley. Parecia que a Inglaterra entraria num período de verdadeira Reforma.

O rei, porém, morreu prematuramente em 1553, aos 16 anos de idade. John Hooper rejeitou o bispado pela discordância em usar as vestes cerimoniais, considerando-as uma "paramentação do clero". Houve acaloradas discussões. Cranmer não foi ao continente, por isso tinha uma visão muito insular.

Maria Tudor

Irmã de Eduardo VI, Maria Tudor ascendeu ao trono em 1553 e governou até 1558. Católica ferrenha, lutou para desfazer as obras de seu pai e de seu irmão, reconduzindo a Inglaterra ao romanismo. Perseguiu e matou tantos crentes que isso lhe valeu a alcunha de "Maria, a Sanguinária".

Evitando a sanha dessa inimiga pertinaz, os crentes fugiram da Inglaterra e foram para a Holanda e Genebra, entrando em contato com Calvino, então no auge de sua influência. Dentre os que fugiram, estava John Knox. Alguns permaneceram na Inglaterra, como Latimer, Ridley e Cranmer, que foram queimados vivos. Quando Ridley estava ardendo como tocha viva na estaca, disse a seu companheiro Latimer: "Coragem, meu irmão, pois hoje estamos acendendo na Inglaterra uma fogueira que nunca poderá ser apagada".

Ao querer destruir o protestantismo, essa rainha dominada por um ódio insano conseguiu apenas promovê-lo. Os que saíram da Inglaterra para poupar a vida levaram a bandeira do evangelho, criando missões em outras paragens, como a Nova Inglaterra. Maria Tudor não sabia, mas Deus a constituíra "presidente" das missões estrangeiras da Inglaterra, pois, ao pensar que estava devastando a igreja, na verdade promovia seu crescimento e alargava suas fronteiras.

Isabel

Em 1558, Maria Tudor morreu, e Isabel, sua irmã, subiu ao trono da Inglaterra. Ela governou até 1603 e muito favoreceu a Reforma. Um de seus primeiros atos foi permitir a volta dos exilados dos tempos de Maria Tudor, que retornaram imbuídos do espírito evangélico que haviam encontrado em Genebra. Começaram a insistir que os ingleses não sabiam ainda o que era a Reforma na sua plenitude.

Isabel, porém, não abria mão de comandar a igreja, indicar e nomear os bispos e manter cerimônias contrárias à Reforma. Mas aqueles que voltaram do continente não aceitavam mais uma igreja apenas meio reformada. Eles exigiram quatro mudanças na Igreja Anglicana: queriam uma igreja com teologia pura, liturgia pura, governo puro e vida pura. Assim, deram início ao maior movimento de reforma e reavivamento na igreja da Inglaterra, conhecido como o movimento dos puritanos. Os puritanos legaram à história a mais robusta biblioteca teológica de todos os tempos.

O presbiterianismo na Escócia

Entre os exilados da sangrenta perseguição promovida por Maria Tudor, estava John Knox. Ele buscou refúgio em Genebra e esteve com João Calvino no auge da reforma genebrina. Entretanto, em 1559, após a morte de Maria Tudor, Knox volta para o seu país e assume a direção da reforma na Escócia. Até então, só havia ali alguns grupos esparsos de crentes evangélicos.

Já em 1560, o Parlamento escocês abolia o romanismo e estabelecia o presbiterianismo como religião oficial. John Knox era um homem culto, piedoso, ousado, cheio do Espírito e de intensa vida de oração. Muitas vezes sua mulher o chamava para tomar sua refeição e ele, curvado sobre os joelhos, em fervente oração, respondia em meio às lágrimas: "Como posso alimentar-me se o meu povo está indo para o inferno?" Então clamava com voz entrecortada pelos soluços: "Ó Deus, dá-me a Escócia para Jesus, senão eu morro". Foi um homem desse quilate espiritual que foi chamado de pai do presbiterianismo.

John Knox entrou em luta com a formosa rainha da Escócia, Maria Stuart, que era católica, mas, a despeito de seus grandes esforços, não conseguiu manter a nação presa nas teias do romanismo. Ela temia mais as orações de John Knox do que todos os exércitos da Inglaterra. Finalmente, abdicou ao trono, e seu filho Tiago VI tornou-se rei da Escócia. O presbiterianismo prevaleceu na Escócia, apesar de Tiago VI ser católico.

Uma grande batalha na Inglaterra

Em 1603, com a morte de Isabel, rainha da Inglaterra, os dois reinos (Inglaterra e Escócia) uniram-se sob o comando de Tiago VI da Escócia, que ascendeu ao trono como Tiago I, rei da Inglaterra e da Escócia, reinando até sua morte, em 1625. Ele tentou em vão submeter ao anglicanismo os presbiterianos da Escócia e os puritanos da Inglaterra.

O rei Carlos I e o Parlamento inglês

Em 1625, ascende ao trono Carlos I, filho de Tiago I, como rei da Escócia e Inglaterra e chefe da igreja. Ele foi o mais determinado a converter os puritanos e os presbiterianos ao anglicanismo.

Enviou emissários à Escócia para impor o ritual anglicano aos escoceses que se rebelaram e às dezenas de milhares que assinaram a liga solene, organizando um exército para enfrentar Carlos I. O rei quis eleger um parlamento que lhe destinasse recursos humanos e financeiros para guerrear contra a Escócia, mas verificou, com horror, que o povo elegera um parlamento com maioria puritana.

Carlos I anulou aquele pleito e determinou que se realizasse nova eleição. Para seu desespero, ainda maior número de puritanos foi eleito. O rei buscou com todas as forças dissolver o Parlamento, mas este permaneceu em trabalhos de 1640 a 1653, recebendo o epíteto de

Parlamento Longo. Nessas circunstâncias turbulentas, o Parlamento convocou a Assembleia de Westminster, finalmente ocorrida em 1º de julho de 1643, após três outras convocações anuladas pelo rei.

O Parlamento inglês organizou um exército para enfrentar as tropas do rei. Foi solicitado auxílio à Escócia, que prometeu ajudar desde que o Parlamento assinasse a liga solene de que se manteria fiel aos princípios da Reforma. Assim, a liga foi assinada e mais tarde o exército parlamentar comandado por Oliver Cromwell derrotou o exército do rei Carlos I, que acabou decapitado em 30 de janeiro de 1649. Cromwell governou em seu lugar até 1658.

Como surgiram os puritanos

Os homens maus planejam o mal para o povo de Deus, e o Senhor transforma isso em bênção. As terríveis perseguições de Maria Tudor, longe de aniquilar a igreja de Cristo, promoveram-na e a fizeram expandir. Muitos protestantes, fugindo da perseguição, foram para a Nova Inglaterra, onde cravaram a bandeira do evangelho no solo americano, dando início à evangelização nos Estados Unidos. Outros tantos se refugiaram na Alemanha, Suíça, Holanda e outros países, onde tiveram contato íntimo com a Reforma, que desejavam implantar em seu país. Assim, retornando à Inglaterra a partir de 1558, passaram a fazer quatro reivindicações básicas à Igreja Anglicana:

1. Doutrina pura

Eles não aceitavam o catolicismo nem o anglicanismo com suas pompas cerimoniais. Clamavam por uma doutrina bíblica, apostólica, evangélica e reformada.

2. Liturgia pura

Eles não queriam aquela liturgia encharcada de pompa e ritos que o anglicanismo havia importado da Igreja Católica Romana. Reivindicavam uma liturgia simples, viva, dinâmica, na qual o povo pudesse adorar a Deus com liberdade, ordem e decência, em espírito e em verdade.

3. Governo puro

Eles não mais aceitaram a ingerência do Estado na igreja. Esta precisava desatrelar-se do Estado, que deveria ser leigo, deixando de interferir nos negócios da igreja. A liderança da igreja deveria ser espiritual, pautada não por decretos humanos, mas pela palavra de Deus.

4. Vida pura

Eles também estavam cansados de uma religiosidade formal, nominal, fria e sem vida. Defendiam a posição de que a ortodoxia tem de gerar piedade e vida pura. Não basta ter ortodoxia, doutrina certa; é preciso ter vida certa. Por esta razão, foram chamados na Inglaterra de puritanos. Na verdade, aqueles que seguiam essa linha doutrinária receberam diferentes nomes. Na França, foram chamados de huguenotes; na Holanda, de reformados; na Escócia, de presbiterianos; e na Inglaterra, de puritanos.

A ASSEMBLEIA DE WESTMINSTER

Os puritanos formaram a geração de protestantes que, ao longo da história, viveu com mais intensidade o evangelho. Eles produziram a maior biblioteca teológica da história da igreja. Eram verdadeiros gigantes, tanto na teologia como na vida; tanto no conhecimento como na piedade.

Em 1643, o Parlamento inglês, em guerra civil com Carlos I, convocou a Assembleia de Westminster, composta por 151 teólogos do mais elevado cabedal teológico e espiritual, reunidos na Abadia de Westminster, em Londres, até 1649. Eles escreveram os postulados doutrinários que deveriam ser ministrados às igrejas.

Aquela magna assembleia debruçou-se sobre os temas mais relevantes da Bíblia e em clima de profunda oração produziu, com fervor espiritual e sério estudo, a Confissão de Fé de Westminster, os Catecismos Breve e Maior, o Diretório de Culto, a Forma de Governo e um Saltério.

Esses documentos foram adotados pelas igrejas reformadas de quase todo o mundo, constituindo hoje a Confissão de Fé e os Catecismos os símbolos de fé da Igreja Presbiteriana. Esses valiosos documentos são considerados a melhor síntese teológica já produzida na igreja cristã ao longo dos séculos.

Todas as sessões eram abertas com oração. A assembleia celebrou 1.163 sessões em 5 anos, 6 meses e 22 dias de reunião. As discussões tinham cunho elevado e alta erudição. Os participantes faziam jejum constantemente, humilhando-se diante de Deus. Tinham profunda reverência pela autoridade suprema das Escrituras, por isso puderam, sob a iluminação do Espírito Santo, deixar às gerações posteriores tão rico legado!

AS PRINCIPAIS ÊNFASES PURITANAS

Soberania de Deus

A soberania de Deus era fundamentada em três áreas distintas: a) *princípio regulador puritano — a glória de Deus*: eles casavam, trabalhavam, comiam, descansavam, escolhiam sua profissão, pregavam, criavam filhos, educavam, ganhavam dinheiro e investiam, tudo para a glória de Deus; b) *soberania na salvação*: eles pregavam que a salvação vem de Deus, é realizada e aplicada soberanamente por Deus, conforme o beneplácito de sua vontade; c) *soberania nos acontecimentos*: tudo está sob o controle e o domínio de Deus. Eles descansavam em sua sábia e bondosa providência.

Centralidade da Bíblia

A ênfase puritana na centralidade da Bíblia preparou a igreja para os grandes embates que ela teve de enfrentar mais tarde com o racionalismo de um lado e o experiencialismo místico do outro.

Arrependimento, conversão e santificação

Eles pregavam a necessidade da profunda convicção do pecado antes da conversão. Para eles, a santidade era prova da justificação.

Vida teocêntrica

O último conselho de Richard Baxter a seus paroquianos foi: “Mantenham deleite constante em Deus”. Toda a vida é de Deus. Toda a vida é sagrada. O puritanismo resgatou um senso de totalidade à vida, em contraste com os mosteiros da Idade Média e com a posição pietista do século 17.

Expectativa do futuro sem deixar de agir no presente

Eles eram otimistas. Não aplaudiam a desgraça. Não eram omissos. Eram práticos e dinâmicos. Eles entendiam que a alma da religião é a prática. Por isso, fundaram universidades, criaram escolas e cultivaram forte espírito missionário.

Família para a glória de Deus

A finalidade da família é estabelecer o reino de Cristo em casa. Eles defendiam uma liderança firme, mas amorosa, no lar. Os pais primavam para que seus filhos fossem mais filhos de Deus do que seus. Treinavam os filhos através do exemplo. Enfatizavam o ensino, o trabalho e a disciplina. Jamais descuidavam do culto doméstico.

Sermão tocante

A pregação era inflamada, solene, concentrando-se nas grandes verdades do evangelho. Eles buscavam a capacitação do poder do Espírito Santo.

Vida cristã equilibrada

Podemos destacar o equilíbrio dos puritanos em cinco áreas distintas: a) *ortodoxia e piedade*: mente e coração, estudo profundo e intensa vida de oração; b) *teólogos e homens de oração*: conheciam as Escrituras e o poder de Deus; c) *aceitação e rejeição ao mundo*: o mundo é local de serviço a Deus e lugar que pode desviar as pessoas do caminho eterno; d) *aspecto ativo e contemplativo*: eram grandes estudiosos, mas não deixavam a prática devocional através da oração e do jejum; e) *trabalho e lazer*: todo o trabalho honesto é sagrado; ensinavam os filhos desde cedo a trabalhar.

8

Movimentos de despertamento dentro da igreja protestante

O pietismo

Depois da Guerra dos Trinta Anos (1618-1648) e de um endurecimento da ortodoxia, o pietismo surgiu para restaurar a vitalidade da igreja. O pietismo veio como uma reação ao formalismo, à ortodoxia sem vida, enfatizando os aspectos práticos da vida cristã, mais que as estruturas teológicas e a ordem eclesiástica.

A igreja na Alemanha atravessava dias difíceis no século 17. Muitos de seus ministros estavam mais interessados em discussões e disputas filosóficas do que no encorajamento de suas congregações. A guerra entre católicos e protestantes tinha criado uma desconfiança generalizada com relação à vida eclesiástica. Predominava o formalismo e imperava a ortodoxia fria e morta.

Não havia vitalidade espiritual na igreja, nem o pulsar de uma vida abundante em Cristo. Os crentes haviam abandonado o seu primeiro amor, como a igreja de Éfeso. Tinham o nome de que estavam vivos, mas estavam mortos como a igreja de Sardes.

Foi nessa situação de aridez espiritual que se levantou Philipp Jakob Spener, chamado de o pai do pietismo e também de conselheiro espiritual da Alemanha. Ele fundou a Assembleia Piedosa, que semanalmente se reunia para orar e estudar a Bíblia.

Escreveu um tratado, intitulado Desejos piedosos, no qual examinou as origens do declínio espiritual na Alemanha protestante, oferecendo propostas para uma reforma. Combateu com vigor os clérigos pela substituição da fé calorosa por uma doutrina fria e exortou os leigos por negligenciarem o comportamento cristão correto.

O grande ideal do pietismo era conduzir o povo alemão a uma vida piedosa. Eles estavam cansados da aridez espiritual. Queriam o orvalho restaurador de uma vida abundante. Por causa da Guerra dos Trinta Anos e dos embates teológicos, a marca do autêntico cristianismo era a defesa intelectual da fé. Isso paulatinamente gerou um cristianismo árido, seco e sem vida plena.

O grande problema é que Spener saiu do extremo da ortodoxia sem piedade para outro extremo, da piedade sem ortodoxia. Se o primeiro gera um cristianismo frio, o segundo desemboca num cristianismo místico. Assim, o pietismo dava mais ênfase à vida que à doutrina. Buscava mais a experiência que o conhecimento. Criou uma dicotomia entre o sagrado e o profano, entre o corpo e a alma, e deu à luz uma visão distorcida que deixa de encarar o homem como um ser integral.

Surgiram também os quacres, com a mesma ênfase. Esses dois movimentos mais tarde desaguaram no experiencialismo da teologia liberal de Schleiermacher e no misticismo dos movimentos pós-pentecostais iniciados em 1906 nos Estados Unidos.

Contudo, a bem da verdade, precisamos ressaltar que o pietismo influenciou o movimento morávio: o conde Ludwig Zinzendorf era afilhado de Spener. Os morávios levaram a ênfase da piedade a todo o mundo, numa grande cruzada de missões mundiais. John Wesley, em 1735, teve a vida revolucionada pelo contato com os morávios e, juntamente com Whitefield, iniciou um grande despertamento espiritual em toda a Inglaterra.

Os quacres

George Fox, o fundador dos quacres, presenciou toda a turbulência na Inglaterra nos agitados dias de Carlos I, bem como sua execução e a ascensão de Oliver Cromwell.

Em 1647, a vida religiosa de Fox sofreu profunda mudança. Em 1652, ele teve uma visão que marcou sua vida; daí por diante, começou a ensinar que Deus fala diretamente a qualquer pessoa. O termo "quacre" vem do inglês *quaker*, tremedor, e foi cunhado para descrever exatamente as experiências místicas que algumas pessoas estavam vivendo.

Fox foi preso oito vezes durante a sua vida, mas foi pioneiro nos cuidados com os pobres, idosos e mentalmente enfermos. Propunha reforma nas prisões, opunha-se à pena de morte, à guerra e à escravidão e defendia o tratamento justo dos índios na Nova Inglaterra. Ele morreu em 1691.

Em 1644, nasceu William Penn, o qual, em 1667, se tornou quacre e foi o mais conhecido deles em todos os tempos. Recebeu terras do rei Carlos II na América do Norte e, nesse solo fértil, disseminou a sua crença. A política tolerante de Penn atraiu imigrantes de todas as partes. Em 1700, havia quacres reunidos em todas as colônias da Nova Inglaterra.

Em 1827, ocorreu no movimento quacre uma divisão liderada por Elias Hicks, que provocou mais tarde grandes desvios espirituais. Ele acreditava que as pessoas deviam seguir a luz interior, em vez de buscar a Palavra objetiva de Deus. A verdade era perscrutada no íntimo de cada um, através da orientação dessa luz interior. Assim, criou-se espaço para a busca de uma verdade subjetiva.

Esse movimento foi a maior influência para o fortalecimento do subjetivismo e do anti-intelectualismo que grassou na igreja nos tempos futuros. Pregavam que as pessoas são guiadas não por uma verdade objetiva, mas por sentimentos subjetivos.

Com a relativização da verdade, as pessoas são guiadas não pela palavra de Deus, a verdadeira luz, mas por seu coração enganoso. As pessoas já não buscam mais a Palavra de Deus, não a estudam com meticulosidade, não a examinam com cuidado, mas buscam as visões, as profecias e as revelações subjetivas. Isso desembocou num analfabetismo bíblico e num misticismo exacerbado, gerando desvios doutrinários de toda sorte.

Os morávios

Em 1723, o conde Ludwig von Zinzendorf começou na Alemanha um dos movimentos mais extraordinários da história da igreja. Depois de intensa busca, enfim, o grupo por ele liderado foi visitado com grande poder, no dia 23 de setembro de 1723, às 11 horas da manhã. A partir de então, se iniciou uma reunião de oração ininterrupta de vinte e quatro horas por dia, que durou cem anos.

Como fruto desse despertamento, igrejas foram inflamadas com um novo fervor espiritual. Os campos outrora sem vigor foram incendiados por um zelo novo e cheio de ardor espiritual. Os morávios foram despertados por Deus para um gigantesco envolvimento com missões, dentro e fora da Alemanha.

Em 25 anos, eles enviaram mais missionários ao mundo do que toda a igreja havia feito até então. Cada grupo de 25 morávios sustentava um missionário fora da Alemanha. Alguns deles, sendo pobres e não podendo enviar dinheiro para a expansão da obra missionária, vendiam-se como escravos para comprar a passagem de ida para os povos mais longínquos, para ali passar o resto de seus dias, levando a esses povos a esperança do evangelho.

Foi esse trabalho de despertamento dos morávios que iniciou o "clube santo" em Oxford, onde George Whitefield, John Wesley e Charles Wesley receberam o impacto do poder do Espírito Santo, dando início aos grandes reavivamentos na Europa.

A igreja na Inglaterra estava em profunda decadência no século 18. Por influência do Iluminismo, uma onda ateísta varreu a Europa. Na Inglaterra, as igrejas estavam vazias. Poucos pregadores ousavam crer na Bíblia como palavra de Deus. Pregadores apáticos pregavam sermões mortos para auditórios vazios e sonolentos e desciam do púlpito para se embriagar nas mesas de jogo. A igreja parecia um vale de ossos secos. Os enciclopedistas vaticinavam o colapso total do cristianismo na Inglaterra dentro de poucas décadas. Quando todos, entretanto, apostavam no fracasso irremediável da igreja, Deus começou a despertar um grupo de estudantes da Universidade de Oxford para orar por reavivamento espiritual. Começaram a acertar a vida com Deus, a confessar seus pecados e a buscar um derramamento do Espírito. Foi numa noite de vigília, no dia 31 de dezembro de 1739, às 3 horas da madrugada, que o Espírito Santo foi derramado com grande poder sobre eles. Lá estavam George Whitefield, John Wesley e Charles Wesley. Esses jovens, revestidos com o poder do Espírito Santo, começaram a pregar com grande poder. As igrejas ficaram cheias de pessoas famintas de Deus. Nas praças, as pessoas se acotovelavam, disputando um espaço para ouvirem a pregação da Palavra de Deus. Em pouco tempo, esse reavivamento espiritual varreu toda a Inglaterra, levando centenas de milhares de pessoas a Cristo. Os historiadores chegam a dizer que foi esse reavivamento inglês que salvou a Inglaterra do banho de sangue da Revolução Francesa.

As missões modernas

Como fruto dos grandes reavivamentos do início do século 18, o próprio século 18 e também o 19 foram marcados por um grande despertamento missionário em todo o mundo. Ao mesmo tempo que o liberalismo teológico atacava a igreja, valentes de Deus levantaram-se para ir até os confins da terra, cumprindo a comissão de Cristo.

No campo das ideias, o mundo estava confuso com as novas filosofias vertentes. O racionalismo de René Descartes preconizava que a razão é o supremo tribunal para se aferir a verdade. Esse conceito penetrou na teologia, e os homens começaram, então, a rechaçar a ideia da veracidade e autenticidade dos milagres, visto que estes não eram explicados pela razão humana. Vieram os iluministas, entronizando na Europa uma nova deusa, a deusa Razão. David Hume, o patrono dos agnósticos, dizia que qualquer pessoa que lançasse uma obra de teologia à fogueira estava prestando um grande serviço à humanidade.

Mais tarde, o filósofo alemão Immanuel Kant escreveu uma obra que se tornou divisor de águas no campo das ideias: *A crítica da razão pura*. Nesse livro, ele defende a tese de que não há verdade absoluta. Até Kant, os homens pensavam em termos absolutos, ou seja, se "A" é verdadeiro, "não A" não pode ser verdadeiro. A partir dele, porém, houve uma guinada de 180 graus no rumo da filosofia. A verdade deixou de ser absoluta para ser relativa.

Georg Wilhelm Friedrich Hegel, na Alemanha, tomou as ideias de Kant e desenvolveu um sistema dialético, em que uma tese contraposta a uma antítese gera uma síntese, que, por sua vez, não é a verdade final, mas se transforma em outra tese, que, contraposta a outra antítese, deságua numa síntese, que também não é a verdade final. O cerne dessa visão é que não existe verdade absoluta e, se não existe verdade absoluta, não há no mundo espaço para crer em Deus nem em sua palavra. Surgiram outros movimentos que buscavam minar a autoridade das Escrituras, como o evolucionismo de Charles Darwin, a psicanálise de Sigmund Freud e o materialismo dialético de Karl Marx.

O resultado de tudo isso é que homens cheios de empáfia se levantaram, trombeteando uma pretensa cultura bíblica, e buscaram reinterpretar as Escrituras, retirando delas sua inspiração. A Bíblia, assim, deixaria de ser inerrante, infalível e suficiente. Tentaram reduzir a Bíblia a um livro cheio de falhas, incoerências gramaticais, incongruências históricas e mitos. Para esses críticos, a Bíblia não merece confiança.

Esse veneno letal invadiu seminários, penetrou nos púlpitos, assolou igrejas, provocando estragos irreparáveis no meio evangélico. O liberalismo teológico, qual caldo venenoso, matou muitas igrejas, fechou outras tantas e deixou não poucas em estado de grave debilidade espiritual.

Nesse tempo de apostasia, Deus levantou homens com a cabeça cheia de luz e com o coração cheio de fogo para, com intrepidez e firmeza na palavra, refutar as heresias que os liberais tentavam despejar sobre a igreja.

Um exemplo clássico dessa luta foi o gigantesco trabalho realizado por Charles Haddon Spurgeon, o príncipe dos pregadores do século 19, na Inglaterra, ao enfrentar com desassombro os liberais do seu tempo.

Contudo, ao mesmo tempo que a igreja estava sendo atacada com fúria pertinaz por homens ímpios que, empoleirados nas cátedras dos seminários ou encastelados nos púlpitos, destilavam seu veneno mortífero sobre o povo de Deus, o Espírito Santo levantava obreiros para levar o santo evangelho às regiões mais longínquas, abrindo assim novas fronteiras de evangelização mundial.

Destacamos, por exemplo, o ministério de William Carey e Hudson Taylor na China; o ministério de David Livingstone e Charles Studd na África; e o ministério de John Hyde e Alexander Duff na Índia, dentre outros.

9

GRANDES REAVIVAMENTOS NA HISTÓRIA DA IGREJA

No período de 1700 até a época da Revolução Francesa, em 1789, a Inglaterra parecia estéril de tudo o que era bom e promissor. O cristianismo parecia morto. A moralidade, embora exaltada nos púlpitos, era pisoteada nas ruas. Havia treva espiritual na corte e na igreja, no campo e na cidade, entre os ricos e os pobres. Os sermões eram pouco melhores do que os pobres ensaios morais.

Percorrendo as igrejas de Londres, o célebre advogado Blackstone chegou à conclusão de que não havia nenhum sermão que apresentasse mais o cristianismo do que os escritos de Cícero. O cristianismo era ridicularizado. Para a grande maioria do povo, ele não tinha nenhuma pertinência e não passava de um assunto de mera ficção. Quase ninguém mais ousava crer na inspiração das Escrituras.

A maioria dos bispos era formada de homens mundanos, desqualificados para a posição que ocupavam. O arcebispo Cornwallis dava bailes e festas no Palácio de Lambeth. Os pregadores saíam do púlpito para se embriagar nas mesas de jogo. Eles pareciam determinados a conhecer tudo, exceto Cristo.

A nação vivia dias de desespero. A criminalidade e a jogatina dominavam o povo. Em Londres, de cada seis casas, uma era um prostíbulo. Um nevoeiro escuro e denso pairava sobre a nação.

De fato, a igreja na Europa mergulhara em crise no século 18. O racionalismo e seus desdobramentos filosóficos estavam em plena ascensão. As obras de agnósticos como David Hume e Voltaire eram lidas com voracidade. Os religiosos tinham vergonha da Bíblia.

A vida piedosa havia desaparecido, e todos vaticinavam a falência da igreja. Pregadores frios pronunciavam sermões mortos para auditórios vazios. O cenário era sombrio. A igreja parecia mais um vale de ossos secos. Mas Deus sempre teve um remanescente fiel, e o movimento morávio foi o braseiro que Deus acendeu para incendiar os cristãos.

Assim, a igreja, que estava anestesiada por um profundo sono, foi sacudida e despertada de sua letargia quando dois jovens, quais gigantes de Deus, levantaram-se na Inglaterra: George Whitefield e John Wesley. Eles, como tochas acesas, incendiaram os campos, e a igreja levantou-se das cinzas e tornou-se viva pelo poder do Espírito.

REAVIVAMENTOS NO SÉCULO 18

Na Inglaterra

O Deus que opera maravilhas, que abriu o mar Vermelho, que fez cair maná do céu, que fez brotar água da rocha, que abriu rios no deserto, que guiou seu povo durante quarenta anos com uma coluna de nuvem durante o dia e uma coluna de fogo durante a noite é o Deus que agiu na Inglaterra, tirando sua igreja das cinzas e dos escombros.

O Deus que atuou poderosamente no despertamento nos dias dos reis Asa, Ezequias e Josias foi o mesmo que sacudiu o povo com grande poder no século 18. O mesmo Deus que derramou seu Espírito em Jerusalém, por ocasião do Pentecostes, que fez grandes prodígios em Samaria por intermédio de Filipe, que operou gloriosas transformações na Galácia, Europa e Ásia Menor através do ministério de Paulo é o

Deus que, milagrosamente, operou na Inglaterra, fazendo cair sobre aquela terra ressequida a chuva serôdia do seu Espírito.

John Wesley foi um gigante. Antes desse grande avivamento na Inglaterra, Wesley já tinha sido missionário na Geórgia. Deixou aquele campo com enorme frustração por não ver os resultados do seu trabalho. Na volta ao seu país, passou por uma experiência assustadora, quando seu navio foi ameaçado por uma tempestade e quase naufragou.

Ao chegar ao seu país, Wesley teve contato com o Clube Santo, no qual vários irmãos se reuniam para orar. Ali sofreu profundo impacto com a manifestação do poder de Deus num culto de vigília. A partir de então, torrentes do Espírito Santo foram derramadas sobre a Inglaterra.

Esse homem, cheio do Espírito Santo, pregou por mais de cinquenta anos e levou a Cristo dezenas de milhares de pessoas. Aonde ele chegava, as multidões se acotovelavam para ouvi-lo. Sempre que pregava, o auditório era quebrantado e as lágrimas rolavam no rosto das pessoas, tomadas de profunda convicção de pecado.

Muitas vezes ele pregava nas minas de carvão, e homens outrora embrutecidos eram tomados por profundo quebrantamento. Wesley foi usado por Deus para escrever, para pregar e para dar início ao movimento metodista, que mais tarde, tornou-se a Igreja Metodista, na Inglaterra.

Com autoridade, combateu veementemente os males sociais do seu país, denunciou o tráfico de escravos e a desumanidade das prisões e embocou sua trombeta contra os vícios deletérios que assolavam a nação.

Wesley foi um grande companheiro de George Whitefield. Eles não tinham a mesma visão teológica, mas se respeitavam e trabalhavam juntos. Certa feita, alguém que tentava arranhar a relação desses dois príncipes de Deus aproximou-se de Whitefield e perguntou-lhe: "O que você pensa de Wesley, visto que a visão teológica dele é tão diferente da sua?" Ele respondeu: "Eu o considero o homem mais santo que conheço. Quero que ele pregue no meu funeral".

De fato, quando Whitefield morreu, aos 55 anos de idade, Wesley pregou em seu funeral, causando naquela época grande comoção espiritual na multidão presente.

Outra pessoa, querendo apanhar alguma palavra dissonante de Wesley, perguntou-lhe: "O que você acha de Whitefield? Ele tem uma visão diferente da sua. Você acha que vai encontrá-lo no céu?" Wesley respondeu: "Acho que não, porque ele estará tão perto de Deus que não vou conseguir vê-lo".

George Whitefield foi um fenômeno. Começou o ministério aos 20 anos de idade e já no primeiro sermão, na igreja em que cresceu, o auditório ficou profundamente abalado. Algumas pessoas, espantadas com os resultados de sua prédica, pediram seu despojamento sumário do ministério. Mas os líderes sabiamente responderam que, se havia tantos anos os pregadores não obtinham resultado na pregação e esse jovem ministro em seu primeiro sermão já causara tão grande impacto no auditório, ele deveria continuar pregando.

Na verdade, Whitefield tornou-se o maior pregador ao ar livre de todos os tempos. Foi cognominado "Príncipe dos Pregadores ao Ar Livre". Pregou ininterruptamente durante 35 anos, de três a cinco vezes por dia, para auditórios de duas mil a vinte mil pessoas. Até mesmo autoridades políticas e artistas da Inglaterra andavam longas distâncias para ouvir Whitefield pregar.

Bastava o povo saber que ele estava numa cidade para que as multidões se aglutinassem para ouvi-lo com sofreguidão. Não tardou para que os pastores tivessem ciúmes de Whitefield e temessem entregar-lhe o púlpito. Ele foi, então, pregar nas ruas e nas praças, e isso certamente fazia parte do plano de Deus, visto que os templos eram pequenos para conter as multidões sedentas que buscavam ouvi-lo. Whitefield atravessou o Atlântico treze vezes para cooperar com a obra de reavivamento na Nova Inglaterra, onde Jonathan Edwards liderava um grande reavivamento em Northampton, Massachusetts.

Os efeitos desse reavivamento sobre a história da humanidade e sobre o desenvolvimento dos povos são evidentes. Os historiadores afirmam que foi esse reavivamento que salvou a Inglaterra dos desastrosos efeitos da Revolução Francesa.

A Revolução cortou a cabeça de toda a nobreza da França, mas na Inglaterra apenas um rei, Carlos I, morreu como resultado da Lei do Parlamento. A Revolução Francesa tinha três ênfases: o povo soberano, em lugar de Deus soberano; o homem no centro, em lugar de Deus no centro; e a razão suprema, em lugar da revelação suprema.

A Revolução Francesa foi uma nova maneira de pensar criada pelos enciclopedistas e jacobinos, jamais conhecida antes de 1789. Representou o surgimento de uma nova religião que nada mais era do que a própria irreligiosidade, o ateísmo e o ódio consumados contra o cristianismo. Pois bem, o reavivamento inglês varreu essa perniciosa influência que marchava também contra a Inglaterra.

Na Nova Inglaterra

Por volta dos anos 1735 e 1740, um tremendo reavivamento irrompeu em Northampton, Massachusetts, sob a liderança de Jonathan Edwards, considerado o maior filósofo e teólogo de toda a história dos Estados Unidos e, segundo J. I. Packer, o maior e mais destacado representante do puritanismo em todos os tempos. Foi esse reavivamento que unificou as colônias americanas, formando o que conhecemos hoje como Estados Unidos da América.

Inconformado com a falta de frutos em seu ministério, Jonathan Edwards começou a orar por um derramamento do Espírito em sua igreja. Deus ouviu seu clamor e torrentes do céu desceram com poder sobre ele.

Seu ministério sofreu uma revolução, causando grande impacto nas multidões. Uma nova unção veio sobre ele e sua pregação. Quando ele proferiu o célebre sermão "Pecadores nas mãos de um Deus irado", o auditório foi tomado de profunda convicção de pecado. As pessoas se agarravam nas pilastras do templo e, com o rosto banhado de lágrimas, clamavam pela misericórdia de Deus. Quando ele terminou de pregar, o auditório estava prostrado aos pés do Salvador. Naquele culto, cerca de quinhentas pessoas foram convertidas a Cristo.

Milagres extraordinários começaram a acontecer, gerando dúvidas em alguns, ceticismo em outros e temor e quebrantamento em não poucos. Nem sempre, quando Deus se manifesta com poder num reavivamento, todas as pessoas têm a mesma percepção da natureza da intervenção divina.

Foi assim que posições extremas e polarizadas se levantaram na igreja, exigindo que Jonathan Edwards escrevesse obras específicas para balizar o assunto dentro da vertente das Escrituras. Também no Pentecostes descrito no livro de Atos, quando o Espírito Santo foi derramado, algumas pessoas não entenderam a essência do que estava acontecendo. Uns olharam com discriminação, dizendo: "Porventura não são galileus estes que estão falando as grandezas de Deus?" Os galileus, pensavam os críticos, representavam um povo atrasado, pobre, analfabeto, sem cultura e sem capacidade de raciocinar com lucidez. Outros viram aquele fenômeno celestial com zombaria, dizendo: "Eles estão bêbados". Mas Pedro rechaçou o escárnio dos críticos declarando que o que estava acontecendo não era produzido pelo poder do álcool, mas pelo poder do Espírito Santo.

No século 18, Deus levantou, também, o jovem David Brainerd, que foi o maior referencial de vida cheia de poder naquele século. Esse jovem recebeu o chamado de Deus para evangelizar os índios peles-vermelhas no coração das selvas americanas. Eram índios canibais, antropófagos. Tratava-se de uma missão humanamente impossível. Mas ele a cumpriu com galhardia. Sempre que os índios o espreitavam para matá-lo, encontravam-no estirado no chão, chorando e clamando a misericórdia de Deus por eles. Tamanha era a veemência com que Brainerd orava que muitas vezes, mesmo ajoelhado sobre a neve, o suor brotava em sua face e molhava sua camisa.

O jovem entregou-se ao jejum e à oração, clamando noite e dia pela conversão daquelas pobres almas que estavam presas no calabouço do diabo, envoltas num denso nevoeiro espiritual. Deus ouviu o clamor de David Brainerd, derramando sobre aquelas selvas um glorioso avivamento e levando centenas de índios aos pés do Senhor Jesus.

O bravo guerreiro viu aqueles índios rudes quebrantados e regozijou-se com a salvação que Deus lhes havia concedido. Tombou jovem no campo de batalha. Morreu aos 29 anos de idade, quando era noivo da filha de Jonathan Edwards. Seu futuro sogro disse que a experiência mais gloriosa que Deus lhe permitiu viver foi ouvir as orações inspiradoras de Brainerd antes de morrer.

Certa feita, quando perguntaram a John Wesley qual era a coisa mais importante na vida de uma pessoa para ser um bom pregador, ele respondeu: "A coisa mais importante para alguém ser um bom pregador é ler o diário de David Brainerd". Sua vida influenciou grandes avivalistas e muitos missionários que saíram pelo mundo levando a bandeira do evangelho. Ele foi um esteio do século 18. Viveu com Deus intensamente e morreu jovem, mas seu exemplo reverbera ainda hoje!

No País de Gales

A condição moral e religiosa do País de Gales no século 18 não era diferente da Inglaterra. O país vivia dias sombrios. A esperança do povo estava morta. Os vícios degradantes campeavam em todos os segmentos da sociedade. O país inteiro parecia um cassino. A bebedeira tirava o siso das pessoas, desde os altos escalões do governo até as pessoas mais simples. A prostituição crescia desenfreadamente. As igrejas estavam vazias. Os pregadores tinham perdido a unção. As massas não se interessavam pelas coisas espirituais.

Deus começou um grande reavivamento de uma forma inusitada naquele país. Um dos grandes baluartes usados por Deus nesse despertamento foi convertido a Cristo por um aviso feito pelo pastor, e não por um sermão.

O pastor convocou a igreja a participar da Santa Ceia no domingo seguinte e o fez nos seguintes termos: "Meus irmãos, há gente que não vem à igreja para participar da Ceia do Senhor porque não se sente preparada. Quem não está preparado para participar da Ceia, não está preparado para orar. Quem não está preparado para orar, não está preparado para viver. Quem não está preparado para viver, não está preparado para morrer".

Aquele aviso entrou no coração de um moço chamado Howell Harris. Ele, sem detença, entregou-se a Cristo. Meses depois, meditando na Palavra de Deus na torre de uma igreja, o Espírito Santo foi derramado em sua vida de forma sobrenatural e ali recebeu um revestimento de poder. Ele não sabia pregar, mas havia fogo em seu coração e imensa paixão pelas almas perdidas.

A Palavra de Deus ardia em seu coração. Ele começou então a ler as Escrituras e outros livros evangélicos para os enfermos e pessoas interessadas. A unção de Deus era tão forte em sua vida que as pessoas, às centenas, começaram a render-se a Cristo ouvindo-o ler. De repente, multidões se juntavam para escutar a leitura de livros evangélicos.

Não tardou para que Deus o capacitasse a pregar em público, e Howell Harris tornou-se o fundador do metodismo calvinista do País de Gales, um dos grandes pilares da pregação do século 18. Ele e Daniel Rowland revolucionaram o País de Gales naquele século. Aprendemos com isso uma célebre lição: sempre que o reavivamento genuíno vem sobre a igreja, esta é despertada para pregar o evangelho.

Reavivamento que não inflama o coração dos crentes a pregar o evangelho de Jesus não é bíblico. Reavivamento que não empurra a igreja para fora dos muros, para fora das quatro paredes, não é um mover de Deus. Reavivamento que leva a igreja apenas ao aspecto contemplativo e subjetivista não é reavivamento do Espírito de Deus. O fogo que vem do céu inflama a igreja, e ela, então, põe fogo no mundo.

REAVIVAMENTOS NO SÉCULO 19

O século 19 foi de abundantes intervenções extraordinárias de Deus, tanto na área do despertamento missionário como na eclosão de poderosos reavivamentos: na Inglaterra, no País de Gales, na Irlanda do Norte e sobretudo na Escócia e nos Estados Unidos.

Na Escócia

O berço do presbiterianismo experimentou grande despertamento espiritual no século 19. Destacamos, em especial, o mover de Deus no ministério do jovem pastor presbiteriano Robert Murray M'Cheyne. Ele é considerado um dos homens mais semelhantes a Cristo que já viveu na Escócia. Ele nasceu em Edimburgo e foi educado na Universidade de Edimburgo.

Esse homem tinha tamanha comunhão com Deus, vivia tanto na presença de Deus em oração e jejum, que, quando se levantava no púlpito para pregar, o auditório já era tomado pelas lágrimas, só de olhar para o seu rosto. Ele pregava sempre com poder e unção.

O Espírito Santo vinha sobre ele com grande poder sempre que expunha as Escrituras.

A soberania de Deus, porém, no reavivamento é algo tremendo. Certa feita, quando M'Cheyne estava enfermo, deixou sua igreja e foi fazer uma viagem a Israel. A igreja ficou abatida pensando que o grande reavivamento que esperavam estancaria sem a liderança do pregador ungido. Mas um jovem ministro, sem o carisma e a projeção de M'Cheyne, chamado William Chalmers Burns, ficou interinamente à frente do rebanho, e Deus o usou como o instrumento para a chegada do reavivamento. Deus estava ensinando que ele não precisa de grandes personagens para fazer a sua obra. Ele usa quem quer, quando quer, da forma que quer, para o louvor da sua glória. Aquele despertamento irradiou-se por vários lugares, trazendo um novo alento para a igreja.

Anos depois da morte de M'Cheyne, um ilustre visitante foi conhecer a igreja do célebre pregador na Escócia. Procurou o zelador e perguntou-lhe qual era o segredo do ministério poderoso e ungido de M'Cheyne. Este lhe disse: "Venha comigo ao seu gabinete pastoral e sente-se em sua cadeira. Agora coloque suas mãos sobre a cabeça. Agora chore. Agora ore. Agora chore. Agora ore". Depois, levou o visitante ao púlpito e mandou que ele estendesse as mãos. Finalmente ordenou: "Agora chore. Agora ore. Agora chore. Agora ore, e o senhor começará a entender o segredo do ministério de M'Cheyne".

Nos Estados Unidos

Merece destaque o grande reavivamento ocorrido nos Estados Unidos entre os anos 1857 e 1859. Nesse período, mais de dois milhões de pessoas foram alcançadas pelo evangelho. A igreja recebeu novo vigor e foi profundamente compelida pelo poder de Deus. A igreja tornou-se uma grande embaixada de oração na terra.

Havia clamor, lágrimas, oração, jejum, quebrantamento e profunda paixão pelos perdidos. Igrejas foram reerguidas das cinzas. A seara pegou fogo. O vento do Espírito soprou em todo o país. A nação inteira parecia uma grande corrente de oração. Reverberações desse reavivamento atingiram universidades, meios de comunicação, formadores de opinião e todos os outros segmentos da sociedade.

No dia 1º de julho de 1857, Jeremiah Lanphier, um homem de negócios tranquilo e zeloso, assumiu o cargo de missionário na periferia de Nova York. Começou uma reunião de oração ao meio-dia, no centro de Nova York, convocando amigos a buscarem, em oração, um reavivamento para o país. Na primeira semana, vieram seis homens. Dentro de seis meses, havia dez mil homens orando ao meio-dia por um derramamento do Espírito nos Estados Unidos da América.

Outros grupos e igrejas se levantaram com o mesmo fervor; Deus ouviu o clamor do seu povo e derramou abundantemente do seu Espírito sobre toda a nação.

Deus usou de forma especial alguns homens nesse reavivamento. Destacamos Charles Grandison Finney. Ele era um advogado, mas, logo que foi convertido e revestido com o poder do Espírito Santo, deixou a advocacia e dedicou-se integralmente ao testemunho do evangelho. Sempre que pregava, era perceptível a unção de Deus fluindo de sua vida. Aonde chegava, as pessoas buscavam com avidez ouvi-lo.

Muitas vezes Deus derramava uma profunda convicção de pecado sobre o seu auditório. Outras vezes as pessoas choravam copiosamente ao ouvir suas mensagens ou mesmo ao olhar para ele. Sempre que percebia que a unção de Deus estava escassa em sua vida, Finney interrompia suas atividades e refugiava-se em oração e jejum até que o frescor da graça de Deus retornasse com poder sobre ele. Calcula-se que Finney tenha levado a Cristo cerca de quinhentas mil pessoas.

Outro poderoso instrumento que Deus levantou nesse tempo foi Dwight Lyman Moody. Ele foi um evangelista e editor norte-americano que fundou a Igreja Moody, a Escola Northfield, a Escola Mount Hermon em Massachusetts, o Instituto Bíblico Moody e a Moody Press.

Sua mãe, ainda jovem, ficara viúva com nove filhos para cuidar. Além disso, estava endividada e com os credores à porta. Moody não teve oportunidade de estudar. Precisou ir cedo para trabalhar no campo. Mas Deus tinha um plano especial para a sua vida. Moody deixou o campo e foi para a cidade, onde foi evangelizado por seu professor de escola bíblica dominical, Edward Kimball.

Moody tornou-se pregador eloquente. Certa feita, causou-lhe grande impacto uma mensagem que dizia que Deus poderia fazer maravilhas na vida e através da vida de um homem que se colocasse totalmente em suas mãos. Ele desejou ardentemente ser esse homem. Então começou a buscar a Deus.

Certo dia, quando caminhava pela Wall Street, em Nova York, o Espírito de Deus veio com poder sobre ele. Ele correu, entrou na casa de um amigo, trancou-se no quarto e, prostrado com o rosto em terra, foi inundado por torrentes do Espírito. Parecia que ondas elétricas penetravam em seu corpo. Disse que ainda que lhe dessem todo o ouro do mundo em troca daquela experiência, ele rejeitaria. Quando ele levantou-se, nunca mais a sua história foi a mesma. Nunca mais a história da América foi a mesma. Levantou-se exultante para tornar-se o maior evangelista de todos os tempos. A partir dessa experiência, levou a Cristo mais de meio milhão de pessoas.

Por onde passava, as multidões se reuniam para ouvi-lo. Ele anunciou com poder o evangelho em todos os quadrantes de sua pátria. Também promoveu grandes campanhas de evangelização na Inglaterra, com abundantes resultados. Após a morte de Dwight L. Moody, Reuben Archer Torrey deu continuidade ao seu trabalho, andando por várias nações do mundo, empunhando a mesma bandeira e incendiando corações com o mesmo fogo!

Foi no bojo desse poderoso reavivamento que um jovem recém-formado no Seminário de Princeton, Ashbel Green Simonton, ao ouvir um sermão do seu professor Charles Hodge, inflamado pelas labaredas desse despertamento, veio para o Brasil, em 1859, plantar a Igreja Presbiteriana. A Igreja Presbiteriana nasceu em solo pátrio sob os auspícios desse grande mover de Deus. Nasceu debaixo da bandeira do reavivamento. É filha daquele glorioso movimento.

REAVIVAMENTOS NO SÉCULO 20

O século 20 também foi palco de grandes despertamentos espirituais em várias partes do mundo. Vamos destacar alguns:

No País de Gales

Em 1904, novamente o país vivia uma grande crise, e Deus derramou um grande reavivamento sobre ele. A moralidade estava baixa, e o povo se entregava a toda sorte de vícios e degradação. Os grandes estádios de futebol viviam lotados aos domingos, e as igrejas estavam cada vez mais vazias. Os cassinos eram concorridos, e os lupanares viviam cheios.

A embriaguez fazia cambalear homens de todas as classes sociais. Nesse contexto, Deus levantou um jovem para orar por reavivamento. Certa feita, Evan Roberts entrou no gabinete pastoral e viu seu velho pastor, de cabelos brancos, ajoelhado, clamando em lágrimas: "Dobra-me, Senhor, dobra-me, Senhor!" O jovem ficou comovido com a súplica do pastor e também começou a pedir a Deus para dobrá-lo.

Certa ocasião, entrou em uma igreja para participar do culto e naquele momento sentiu que Deus o desafiava a voltar, na segunda-feira, a Loughor, sua cidade natal, para iniciar uma reunião de oração. Ele voltou, chamou os jovens da sua igreja e reuniu-se com eles das 7 horas da noite até as dez e meia. Deus agiu de tal forma naquele grupo que na terça-feira toda a congregação estava reunida para orar. Nos dias seguintes, a reunião atraiu grande multidão, entrando pela madrugada. No sábado seguinte, o comércio da cidade encerrou as atividades mais cedo, pois o povo buscava ansiosamente participar da reunião de oração.

O vento soprou. O fogo caiu. As multidões se ajuntaram com grande urgência de acertar a vida com Deus. Dentro de seis meses, mais de cem mil pessoas estavam convertidas e agregadas às igrejas. Esse foi um reavivamento que começou com jovens, um reavivamento com grande ênfase na oração, no louvor e nos testemunhos. O mover de Deus se fez notar em todo o país.

Houve profundas reformas na sociedade. Os estádios de futebol ficaram vazios aos domingos, pois o povo tinha pressa de ir para a igreja. Os teatros foram obrigados a cancelar seus programas, pois as pessoas só buscavam as reuniões de oração. Os prostíbulos foram fechados, pois as prostitutas estavam sendo convertidas ao evangelho. As cadeias se esvaziaram, pois ninguém mais praticava crimes. Os juízes presenteavam uns aos outros com luvas brancas, pois não havia mais crime para ser julgado.

Deus fez uma limpeza moral no país. O reavivamento curou a nação. Esse reavivamento irradiou-se para as universidades, e muitas outras nações também foram influenciadas pelo que Deus fez no País de Gales.

Na China

Como resultado da influência do reavivamento galês, Jonathan Goforth, missionário em Xangai, na China, começou a buscar um reavivamento para a sua vida e a sua cidade. Ao examinar algumas obras de Finney, leu que não adianta orar por reavivamento se não estamos dispostos a acertar nossa vida com Deus, preparando o caminho para a sua manifestação. Goforth disse então a Deus que estava disposto a pagar o preço para receber essa visitação poderosa do Espírito.

Imediatamente o Espírito Santo o convenceu da necessidade de ir ao encontro de uma pessoa que o havia ferido e humilhado, buscando reconciliação. Goforth relutou, mas finalmente se quebrantou até o pó, deixando de lado todo o orgulho. Procurou seu desafeto, pediu perdão e, logo depois, torrentes do céu desceram sobre ele com grande poder, fazendo explodir em Xangai um reavivamento. O resultado é que milhares de pessoas foram convertidas a Cristo.

Na Coreia

O evangelho foi plantado em solo coreano com muitas lágrimas e cresceu regado pelo sangue de milhares de mártires. O primeiro missionário que chegou àquela terra para distribuir Bíblias foi morto a pauladas. A partir daí, a Coreia foi um campo tingido de sangue, onde tombaram muitos heróis da fé.

Em 1907, após a vitória do Japão sobre a Rússia, a Coreia começou a viver momentos angustiosos com o domínio japonês e o reconhecimento desse domínio por parte dos Estados Unidos e da Inglaterra. Os crentes foram obrigados a venerar a bandeira japonesa, a cultuar o imperador e a curvar-se em adoração diante dos altares xintoístas.

Ventos de perseguição fuzilaram por todos os lados. Naquele ambiente hostil de conspiração e opressão, a igreja da Coreia buscou refúgio em Deus, em reuniões de estudo bíblico e oração. Em agosto de 1907, numa dessas reuniões, o Espírito Santo foi derramado com poder sobre eles. Houve profundo choro pelo pecado e grande quebrantamento.

As pessoas se levantaram e com grande amargura de alma confessaram seus pecados gemendo e chorando. Tocadas por Deus, caíam estiradas ao chão, clamando pela misericórdia do Senhor. De repente, toda a congregação prorrompeu em oração uníssona. Todos, unânimes, começaram a clamar a Deus. Aquela visitação do Espírito Santo percorreu as igrejas de outras cidades.

Por toda parte, o povo tinha pressa em voltar-se para Deus. As reuniões de oração tornaram-se concorridas. Em lágrimas, as pessoas confessavam seus pecados e pediam a Deus poder para testemunhar o evangelho com intrepidez, mesmo em face da perseguição brutal. Deus estava preparando a Coreia para 35 anos de domínio opressor, quando os japoneses perseguiram os crentes coreanos com rigor excessivo. Aqueles que se recusavam a adorar o imperador japonês e a curvar-se diante dos altares pagãos eram presos, torturados e mortos com requintes de crueldade.

Milhares de cristãos, por resistirem, foram trucidados e esmagados com mão de ferro. Muitos foram castigados com escassez de pão nas prisões e com açoites brutais. Outros foram dependurados de cabeça para baixo e torturados lentamente até a morte. Alguns foram afligidos jogando-se água quente em suas narinas. Outros foram arrebentados ao meio ou esmagados debaixo de pedras. Outros, ainda, foram flagelados com farpas de bambu enfiadas debaixo de suas unhas. De uma só vez, os japoneses decapitaram duzentos pastores às margens do rio Han, que corta a cidade de Seul.

Após 35 anos de massacre, com o fim da Segunda Guerra Mundial e o consequente domínio japonês sobre a Coreia, esta ainda enfrentou dor mais profunda e perseguição mais atroz e avassaladora. O comunismo tomou de assalto a Coreia do Norte e impôs à igreja um tratamento brutal, sangrento e desumano.

Os crentes foram dizimados, fuzilados e esmagados sumária e inapelavelmente. Muitas vezes foram presos dentro dos templos, aos quais os soldados comunistas ateavam fogo, matando a todos carbonizados.

Aqueles que tentavam escapar eram fuzilados sem misericórdia. A Coreia tornou-se um campo de sangue, uma terra de mártires, um palco de dor. Homens, mulheres, jovens e crianças selaram com o seu sangue o testemunho do evangelho.

Dominada pelo comunismo, a Coreia do Norte baniu da sua terra a igreja de Deus e hoje é o país mais fechado do mundo para o evangelho. É proibido ter uma Bíblia na Coreia do Norte. Os cristãos são ali torturados e mortos. O ditador da Coreia do Norte é venerado pelo povo como um ser supra-humano. Há uma obediência cega a ele. As crianças são ensinadas nas escolas a venerá-lo. O país amarga severa pobreza mesmo ostentando sua força militar e nuclear.

A Coreia do Sul, entretanto, onde a igreja floresceu, tornou-se rica, forte e opulenta. Ali o evangelho cresce a passos largos e daquele solo banhado de sangue desponta uma igreja cheia de vigor.

Visitamos a Coreia do Sul em 1997, com outros oitenta pastores brasileiros, e pudemos ver a pujança e o esplendor da igreja evangélica sul-coreana.

Apenas à guisa de comparação com o Brasil, queremos destacar alguns pontos, em especial da Igreja Presbiteriana, mas que valem para uma reflexão para todos os cristãos: a Coreia do Sul é 82 vezes menor do que o Brasil em extensão territorial e apenas três vezes menor em população. Trinta por cento do país é formado de evangélicos. A Igreja Presbiteriana possui mais de dez milhões de membros. Embora a Igreja Presbiteriana da Coreia do Sul seja 28 anos mais nova que a Igreja Presbiteriana do Brasil, é quase dez vezes maior. Enquanto os presbiterianos no Brasil representam apenas 0,3% da população, na Coreia do Sul representam 23%. Só em Seul há dez mil igrejas presbiterianas.

As principais denominações evangélicas são: presbiteriana, com dez milhões de membros; metodista, com um milhão e meio de membros; Assembleia de Deus, com um milhão de membros; e batista, com quinhentos mil membros.

As principais causas do crescimento da igreja evangélica, ainda hoje, na Coreia do Sul são:

1. Uma igreja que é cabeça, e não cauda

A igreja sempre esteve à frente nas grandes lutas e tensões sociais, determinando o rumo das mudanças mais importantes do país. Os crentes ocupam os principais postos estratégicos de liderança da nação. A igreja, na verdade, é a esperança da nação.

2. Uma igreja de mártires

Deus sempre honrou o sangue dos mártires. Como dizia Tertuliano, ilustre pai da igreja: "O sangue dos mártires é a seiva da igreja". A plantação de igrejas na Coreia do Sul foi regada por muitas lágrimas e banhada de muito sangue. Centenas de crentes foram decapitados, estrangulados e mortos com requintes da mais perversa crueldade. Milhares de cristãos foram torturados por causa de sua fé, selando com o seu sangue o testemunho do evangelho.

Em Seul, foi construído o museu dos mártires, um memorial histórico que narra a saga de centenas de heróis que não amaram a própria vida para que o evangelho pudesse prevalecer em solo coreano. Tive o privilégio de visitar esse museu, onde vi centenas de quadros com a foto dos mártires. Homens, mulheres e até crianças morreram pela sua fé em Cristo. Todos os quadros possuem a mesma moldura, demonstrando que não existe um mártir mais importante do que outro. Na saída do museu, porém, há um quadro especial. Apenas uma pessoa pode sair de cada vez do museu. Normalmente, a pessoa que passa por ali demora-se um pouco mais ao contemplar a foto do mártir e muito frequentemente se despedem do museu com lágrimas nos olhos. Fiquei curioso para saber quem era esse mártir. Quando cheguei defronte do quadro, ali não estava uma foto, mas um espelho. Você mira o seu próprio rosto. Embaixo, no quadro, está escrito: "Você pode ser o próximo mártir".

3. Intensa vida de oração

Não existe, na Coreia do Sul, igreja evangélica que não tenha reunião de oração diária pela madrugada. Eles não acreditam em crescimento da igreja sem prática efetiva e intensa de oração. Os crentes fluem para o templo de madrugada para buscar a face de Deus, mesmo sob o frio implacável de dez graus negativos no inverno. Para eles, a oração é prioridade fundamental e causa precípua do crescimento da igreja.

Perguntei a um pastor por que oravam de madrugada. Se isso era um costume oriental. Ele me respondeu: "Não. No mundo inteiro as pessoas levantam de madrugada para ganhar dinheiro. Nós levantamos de madrugada para orar, porque Deus é prioridade em nossa vida".

Visitei uma igreja presbiteriana que estava com 55 mil membros. Aquela igreja tinha quatro reuniões diárias de oração pela manhã: uma das 4 às 5, outra das 5 às 6, outra das 6 às 7 e a última das 7 às 8. Participei da segunda reunião, das 5 às 6 da manhã. Ainda estava escuro e fazia muito frio. Fiquei impressionado ao ver que, ao chegarmos no estacionamento, ele estava repleto. Quando entramos no templo, ele estava superlotado. Quando aquele povo ergueu sua voz para orar, a sensação que tive é que os céus haviam fendido e Deus havia descido naquela reunião.

4. Evangelismo através de grupos familiares

A base da evangelização e da comunhão dos crentes são os grupos familiares. Segundo eles, esse é o instrumento estratégico mais importante para ganhar pessoas para Cristo e discipulá-las. O lar precisa ser uma agência do reino de Deus para ganhar pessoas para Cristo e treiná-las para o serviço.

5. Forte ênfase no discipulado e treinamento dos leigos

Em Seul, visitamos igrejas de 6 mil, 12 mil, 18 mil, 30 mil, 55 mil, 82 mil e 700 mil membros. Em todas elas vimos forte ênfase no treinamento da liderança e no discipulado dos novos convertidos. A igreja, na verdade, é um exército em ação, no qual cada crente exerce seu ministério conforme os dons que recebeu.

6. Grande zelo missionário

A igreja sul-coreana investe pesado em missões no mundo inteiro. Vinte e cinco por cento dos pastores formados na Coreia do Sul estão se consagrando para as missões mundiais. Há igrejas que investem 62% do seu orçamento em evangelização e missões. Em 1995, no Estádio Olímpico de Seul, cem mil jovens coreanos consagraram-se para a obra missionária.

Cremos que a qualidade de vida dos crentes coreanos reflete o frescor daquele reavivamento inicial e deságua num fenomenal crescimento numérico da igreja. Qualidade gera quantidade. Quando a igreja anda com Deus, ele a faz crescer.

Nas ilhas Novas Hébridas

Outro grande reavivamento nesse século aconteceu em 1946 nas Novas Hébridas, nome colonial dado a um grupo de ilhas no sul do oceano Pacífico, sob a liderança de Duncan Campbell. Essas ilhas foram incendiadas pelo fogo do Espírito Santo, e sobretudo a juventude que vivia de forma devassa voltou-se para Deus em profundo quebrantamento. Esse reavivamento veio como resultado da oração fervorosa e perseverança de alguns crentes, especialmente de duas anciãs.

Entre os zulus na África do Sul

Em 1966, um poderoso reavivamento aconteceu no meio da tribo zulu, em Kwa Sizabantu, África do Sul, com Erlo Stegen. Eles oraram durante doze anos, até Deus derramar sobre eles o Espírito Santo.

Certo dia, uma mulher estava ouvindo a pregação do reverendo Erlo Stegen. Ele falava que os deuses da feitiçaria eram falsos. Falava também de Jesus, aquele que venceu o diabo, a morte e tem todo poder e autoridade no céu e na terra. Após o culto, a mulher o abordou dizendo que estava à procura do Deus onipotente, pois sua filha estava horrivelmente endemoninhada. Já havia procurado todos os feiticeiros da região, recorrido a todos os espíritos, e sua filha continuava cada vez pior. Ela estava amarrada com arame, como um bicho. O pastor gelou, pois chegara a hora de não apenas falar do poder de Deus, mas experimentá-lo. Ele acompanhou a mulher até a sua casa. A moça vivia como animal feroz, amarrada num tronco. Seu aspecto era horrível. Seu corpo estava sujo e seus punhos, ensanguentados, provocando pavor em todos os que passavam por perto.

Em vão Erlo Stegen tentou expulsar dela o espírito maligno. Cada dia, a moça ficava pior. Erlo Stegen tomou a decisão de ir embora. Sentia-se humilhado, derrotado e sem autoridade para continuar pregando naquela região. Quando estava para voltar para seu país, Deus tocou-lhe o coração, mostrando que a solução não era fugir, mas buscar poder. Então o pastor e toda a sua congregação reconheceram a necessidade urgente de buscar mais a Deus. Pararam tudo o que estavam fazendo e começaram a orar, jejuar, confessar seus pecados e estudar o livro de Atos dos Apóstolos. À medida que liam e meditavam, oravam a Deus e pediam: "Senhor, faze de novo, faze de novo". Nos últimos três meses, reuniram-se três vezes por dia, apenas para chorar pelos seus pecados. Em determinada manhã, quando estavam reunidos, o Espírito Santo veio com grande poder sobre eles, e ficaram cheios do Espírito.

A primeira coisa que fizeram foi ir à casa daquela moça possessa e libertá-la no poder do nome de Jesus. Imediatamente os feiticeiros mais temidos da região começaram a vir à missão, denunciando publicamente suas obras, confessando seus pecados e pedindo a misericórdia de Deus. Milhares de pessoas vinham de todos os lados, entregando a vida ao Senhor. Milagres tremendos aconteceram ali: cegos passaram a enxergar, paralíticos voltaram a andar, mortos ressuscitaram. Os céus desceram à terra.

Em 1991, visitamos essa missão e vimos ali erguido um gigantesco templo para quinze mil pessoas, com três cultos por dia. Até hoje caravanas do mundo inteiro ali se hospedam para ver e ouvir as maravilhas que Deus tem operado na vida e através da vida daqueles irmãos.

Cremos que o mesmo Deus que tem feito maravilhas ao longo da história, que tem demonstrado o poder do seu braço onipotente em grandes reavivamentos, é o Deus da igreja hoje. Ele nunca mudou. Seu poder não sofreu abalo. Ele está no trono. Ele age e opera maravilhas ainda hoje.

O tempo das grandes intervenções de Deus não cessou. Ele pode, hoje também, derramar sobre nós um grande reavivamento, mesmo que as circunstâncias ao nosso redor sejam sombrias. Reavivamento é obra soberana e exclusiva de Deus. Devemos buscá-lo com toda a força da nossa alma até que os céus se fendam e Deus desça com grande poder para inflamar a sua igreja e restaurar a sua vinha.

Precisamos de coragem para não voltar atrás. Precisamos de fé para prosseguir. Mesmo que alguns se tenham desviado do caminho, não devemos recuar nessa busca. Importa prosseguir até que vejamos tempos de refrigério da parte de Deus, tempos de restauração para o seu povo, tempos de uma visitação especial da sua graça e de um derramamento profuso do seu Espírito. Não queremos um falso reavivamento produzido pelo homem. Não queremos nada que não venha do próprio Deus. Não queremos ir um centímetro além nem ficar um centímetro aquém. Queremos tudo o que Deus tem para nós e só o que Deus tem para nós. Não podemos ter medo do Espírito Santo de Deus. Ele é a fonte de todo o poder que emana dos céus para a igreja.

Entre os konkombas em Gana

Em setembro de 1993, os konkombas da tribo Bimonkpeln, no nordeste de Gana, tiveram o primeiro contato com Ronaldo e Rossana Lidório, missionários enviados como plantadores de igrejas entre esse povo. A partir do primeiro encontro com a tribo na aldeia de Nakpai, os konkombas passaram a experimentar uma profunda manifestação do Espírito Santo.

Em novembro do mesmo ano, chegou ao posto missionário uma mulher da tribo Fulani Krê trazendo sua filhinha de aproximadamente 7 meses de idade com o corpo tomado por tumores, que deformavam seu rostinho, suas costas e pernas, e quase à morte. Os medicamentos haviam acabado, e Rossana desafiou aquela mulher a orar a "Uwumbor" — o Deus criador —, crendo que por *Uwumbor Uba* — o único Deus — sua filhinha poderia ser curada.

Após orarem, a mulher regressou à sua aldeia nas imediações de Nakpai e, depois de quatro dias, voltou ao posto missionário trazendo a menina enrolada em um pano. Para surpresa dos missionários, ela estava totalmente curada, sem tumores nem enfermidade. O que aconteceu depois disso foi um grande testemunho a toda a tribo Konkomba.

Aquela mulher fulani krê passou a percorrer todas as aldeias de Nakpai e as aldeias vizinhas mostrando a filhinha curada e testemunhando que fora salva pelo *Uwumbor Uba*, o único Deus.

A partir desse fato, Ronaldo foi aceito pela tribo, que lhe deu um nome konkomba: *Uwumbor bi*, que significa "aquele que diz que existe um Deus", e Rossana passou a ser chamada de *Dota pii*, "mulher que cura".

O que se passou a partir de 1994 foi um grande derramamento do Espírito sobre a tribo. Mebá, o feiticeiro da região de Koni, converteu-se de maneira comovente e trouxe consigo seus onze filhos e a esposa. Kidiik, guardião dos fetiches da região de Molan, foi atingido pelo poder de Deus enquanto estava em uma plantação e correu vários quilômetros até Koni para saber "quem é verdadeiramente este Deus". Iagorá entregou-se ao Senhor após negar-se a participar de um sacrifício humano no qual uma criancinha seria morta e imediatamente queimou seus fetiches e entregou-se ao Senhor. Estes passariam a ser os três primeiros líderes da igreja ali.

O evangelho do Senhor foi pregado naquela região a partir da aldeia de Koni e rapidamente se espalhou por Molan, Jimoni, Kadjokorá e outras sete aldeias, com centenas de conversões. Nos seis primeiros meses, desde a primeira conversão, a igreja konkomba experimentou um fato marcante: nem um dia se passou sem que ao menos uma pessoa se entregasse ao Senhor Jesus.

A partir dos primeiros meses de 1995, houve grande perseguição à igreja. Alguns jovens crentes foram enjaulados por seus próprios pais a fim de pressioná-los a abandonar a fé; Mebá, Labuer, Kidiik e Makanda, que formavam a primeira liderança na igreja em Koni, foram por diversas vezes ameaçados; Ronaldo, Rossana e as crianças tiveram sua água envenenada; maridos perderam o direito sobre esposas e filhos; e alguns rapazes foram expulsos de suas aldeias e casas.

Entretanto, a igreja florescia. No início de 1998, essa comunidade contava com pouco mais de 2 mil membros, 12 presbíteros, 4 evangelistas e 30 líderes que pastoreavam dez igrejas locais e três congregações que se espalhavam desde o nordeste de Gana até o extremo norte do Togo. Naquela altura, mais de duzentos mil konkombas já haviam ouvido o evangelho de Cristo.

Em 1996, haveria a grande prova de fogo que testaria a igreja na tribo. Uma guerra tribal entre konkombas e dagombas faria mais de dez mil mortos, destruiria muitas aldeias e deixaria dezenas de milhares de refugiados e famintos.

A igreja, entretanto, permaneceu na sua posição de fomentar a paz, negou-se a participar do genocídio e, mesmo espalhada, fez que os limites mais distantes da tribo ouvissem o evangelho.

Na visão dos missionários, alguns sinais marcaram uma forte ação do Espírito nesses primeiros anos do nascimento da igreja. Os principais foram:

1. Centralização da Palavra

Havia tremendo interesse por parte de todos os convertidos, de crianças a adultos, para aprender e memorizar a palavra de Deus; os konkombas aprenderam a ler e a escrever a língua tribal com a motivação de aprender a palavra de Deus.

2. Intensa paixão por Jesus

O nome de Jesus era exaltado em cada vida. A figura dos missionários e líderes da igreja era secundária. Jesus era o centro das atenções.

3. Forte motivação evangelística

Os recém-convertidos automaticamente lançavam-se na tarefa de compartilhar a respeito da salvação em Cristo.

4. Sólida identidade cristã e comunhão entre os irmãos

A igreja era una, apesar de dividida por mais de onze dialetos. O evangelho rompeu as barreiras da discriminação e inimizade entre clãs tradicionalmente opostos.

Um historiador inglês do nosso século disse que a chave para o futuro de uma nação está no seu passado. Podemos também dizer que a chave do futuro de uma igreja está no seu passado. Uma igreja só pode ter futuro aos olhos de Deus se suas raízes estão fincadas na doutrina dos apóstolos. É lá no começo, na origem, nos tempos apostólicos, que vamos encontrar a base para dizer que reavivamento não é desvio, mas volta para o centro do verdadeiro cristianismo. Que Deus nos dê a graça de vermos também em nossa terra um derramamento poderoso do seu Espírito!

10

HISTÓRIA DA IGREJA EVANGÉLICA NO BRASIL

Quando Pedro Álvares Cabral descobriu o Brasil, em 1500, aqui foi fincada uma cruz e celebrada a primeira missa. Os primeiros sacerdotes católicos romanos que vieram para o Brasil não lograram êxito por causa da vida escandalosa que viviam.

Em 1534, foi fundada por Inácio de Loyola e em 1554 foi sancionada pelo papa Paulo III a Companhia de Jesus, ferrenha nos seus objetivos de combater a Reforma. Com grande empenho catequético, a Companhia de Jesus enviou ao Brasil os primeiros jesuítas em 1549, quando aqui aportou o padre Manuel da Nóbrega, estabelecendo de vez o catolicismo romano nas terras brasileiras.

Em 1553, chegou ao Brasil o padre José de Anchieta. Ele fundou em 1582 a Santa Casa da Misericórdia do Rio de Janeiro, mas foi o carrasco do calvinista Jacques Le Balleur, enforcado como herege no dia 20 de janeiro de 1567 no Rio de Janeiro. Foi o papa João Paulo II quem beatificou o padre José de Anchieta.

A primeira leva de colonos trazidos por Tomé de Sousa, primeiro governador-geral do Brasil, compreendia quatrocentos degredados e seis jesuítas, além de aventureiros que formavam a primitiva população portuguesa do Brasil.

Tentativas frustradas de implantação do protestantismo no Brasil

Os calvinistas franceses no século 16

A primeira tentativa de implantação do protestantismo no Brasil se deu quando Villegagnon, em 1557, mandou cartas a João Calvino, em Genebra, pedindo-lhe que enviasse ao Brasil missionários reformados. No dia 7 de março de 1557, aportaram no Rio de Janeiro catorze missionários huguenotes, que viram seu trabalho florescer. Muitos colonos e indígenas converteram-se a Cristo. Logo que chegaram, começaram uma igreja.

No dia 21 de março de 1557, celebraram pela primeira vez no Brasil a Ceia do Senhor. O governador foi o primeiro a participar da Ceia. O ex-frade Jean Cointac, acadêmico da Sorbonne, ainda papista, começou a criticar os ministros calvinistas. Villegagnon tomou o partido do papista, deixou de frequentar os cultos e absteve-se de comer com os pastores na mesma mesa.

Cointac e Villegagnon suspenderam o culto e decidiram não mais se submeter a Genebra, mas sim à Sorbonne. A partir daí, começaram a perseguir a igreja calvinista. Villegagnon, cognominado o Caim da América, já havia traído os colonos que tinham vindo com ele para o Brasil, obrigando-os ao trabalho escravo. Muitos desses colonos foram presos, torturados e escravizados.

Então os missionários protestantes também foram traídos por Villegagnon. Nove deles conseguiram retornar à França. Os cinco que não conseguiram viajar por causa de uma tempestade e da escassez de alimentos foram considerados espiões. O traidor da América encontrou aí um motivo para matar os missionários. Pediu que em doze horas eles escrevessem sua confissão de fé.

Chamados à sua presença, para confirmarem ou negarem a fé, intrépidos, permaneceram firmes, enquanto Jean du Bourdel, autor da confissão, recebeu uma bofetada no rosto, fazendo jorrar sangue da boca e do nariz.

Em 9 de fevereiro de 1558, Villegagnon ordena a execução de quatro huguenotes.

Jean du Bourdel é levado ao cadafalso. De joelhos ora. O carrasco o estrangula. Atado de pés e mãos, Bourdel é jogado ao mar ainda com vida. Segue-se Mateus Vernivil. Rogando que lhe poupassem a vida e fosse feito escravo, Villegagnon respondeu-lhe que ele valia menos que o lixo do caminho. Então esganou-o e o lançou às ondas, enquanto ele clamava: "Senhor Jesus, tem piedade de mim". Pierre Bourdon também foi sufocado, estrangulado e jogado às ondas. Villegagnon advertiu toda a sua gente a abandonar a crença dos reformadores, do contrário teriam o mesmo destino. O último deles, Jacques Le Balleur, teólogo versado na língua espanhola, no latim, no grego e no hebraico, foi enforcado pelo padre José de Anchieta, em 20 de janeiro de 1567, por ordem do terceiro governador-geral, Mem de Sá.

Assim, a truculência e a intolerância religiosa abortaram a primeira tentativa de implantação da igreja evangélica no país.

Os reformados holandeses no século 17

A segunda tentativa de evangelizar o Brasil se deu no século 17, no Nordeste, pela Igreja Reformada Holandesa.

Os holandeses se estabeleceram em Pernambuco em 1630, com Maurício de Nassau. A seu convite, chegaram ao Brasil, em 1637, oito missionários. Eles fundaram igrejas em Recife e Olinda e também nos estados da Paraíba e Ceará. Realizaram intensa obra educacional e filantrópica, cooperando com Maurício de Nassau na criação de escolas, hospitais e orfanatos.

A igreja cresceu. Foram organizados presbitério e sínodo. Todavia, a oposição romana foi intensa, insuflando o ódio dos políticos contra os missionários. O fanatismo religioso levou muitos crentes às prisões. Outros foram torturados e não poucos morreram como resultado dessa perseguição. Os holandeses precisaram retirar-se do Brasil em 1654. Após essa retirada, os jesuítas entraram em campo para neutralizar e anular o trabalho protestante, no que lograram êxito. Assim, mais uma vez, fracassou a tentativa de implantar o protestantismo no Brasil.

O SÉCULO 18: SILÊNCIO PROFÉTICO NO BRASIL

No século 18, nenhum portador das boas-novas aportou nestas plagas. Foi um tempo de densas trevas, o século do prevalecimento do obscurantismo religioso e da truculência da Inquisição.

A Inquisição, que tantas vidas ceifou na Europa, não esteve ausente do Brasil. O período de maior perseguição se deu entre 1704 e 1767. Em 1713, foram sentenciados 66 colonos do Brasil e condenadas 31 mulheres, não por heresias, mas por terem o sangue judeu. O antissemitismo já era uma realidade sombria naquela época.

Em 1714, 25 crentes foram sentenciados, dentre estes onze mulheres. Dois dos sentenciados eram cristãos recém-convertidos de 67 anos de idade. Um deles foi esfolado até ficar em carne viva.

Nesse mesmo ano, morreu no cárcere a viúva de André Barros de Miranda, no Rio de Janeiro, aos 81 anos. Em 1720, Tereza Paes de Jesus, de 65 anos, foi queimada viva na fogueira por causa de sua fé evangélica.

Varnhagen, ilustre historiador, diz que os condenados pela Inquisição em Lisboa, oriundos do Brasil, foram 540 pessoas, das quais 450 presas em território brasileiro. Desse grupo martirizado pela sua fé, um terço era de brasileiros natos. Nesse tempo, as pessoas eram proibidas de ter culto evangélico em suas casas. Aqueles que ousavam contrariar essa ordem eram mortos.

A radicação permanente da igreja evangélica no Brasil no século 19

Melhores dias raiaram no século 19. Pelo tratado de comércio outorgado à Inglaterra em 1810 por D. João VI, bem como pela Constituinte de 1823 e pela Carta Constitucional dada em 1824 por D. Pedro I, ficou assegurada no Brasil a liberdade religiosa.

Estas são, pela ordem cronológica, as igrejas que se estabeleceram no Brasil:

1. Igreja Anglicana — Chegou ao Rio de Janeiro em 1819, com o reverendo lorde Strangford.
2. Igreja Metodista — Chegou ao Rio de Janeiro em 1836, com o reverendo Justin Spaulding. Ele organizou na cidade uma animada congregação de quarenta pessoas entre os colonos. Vieram depois o reverendo Daniel Kidder e o sr. Murdy e sua esposa. Eles derramaram no Brasil grandes quantidades de Bíblias, Novos Testamentos e tratados religiosos.
3. Igreja Luterana Alemã — Chegou ao Brasil em 1845, com o reverendo Neumann, porém já em 1824 havia luteranos alemães na região de Alto Jequitibá, em Minas Gerais.
4. Igreja Congregacional — Chegou ao Rio de Janeiro em 1855, com o reverendo Robert Kalley e sua esposa, Sarah Poulton Kalley, grande compositora e autora de muitos hinos que cantamos ainda hoje.
5. Igreja Presbiteriana — Chegou ao Rio de Janeiro em 1859, com o reverendo Ashbel Green Simonton. Ele veio para o Brasil aos 26 anos de idade. Seu ministério durou apenas oito anos até sua morte.
6. Igreja Batista — Chegou a Salvador em 1881, com os pastores William Buck Bagby e sua esposa, Anne Luther. Junto com o casal também missionário Zacharias Taylor e Kate Stevens Crawford Taylor e o ex-padre Antonio Teixeira de Albuquerque,

organizaram nessa cidade, em 1882, a Primeira Igreja Batista do Brasil. Hoje os batistas somam mais de dois milhões de membros em nosso país.

7. Igreja Episcopal — Chegou a Porto Alegre, Rio Grande do Sul, em 1890, com os reverendos Lucien Lee Kinsolving e Watson Morris.
8. Igreja Assembleia de Deus — Chegou a Belém, no estado do Pará, em 1910, depois da explosão pentecostal nos Estados Unidos em 1906. Hoje a Assembleia de Deus conta com mais de dez milhões de membros.

Mais tarde houve uma explosão de crescimento das igrejas neopentecostais, sendo as principais: O Brasil para Cristo, fundada por Manoel de Mello; Deus É Amor, por Davi Miranda; Igreja Universal do Reino de Deus, por Edir Macedo; Igreja Mundial do Poder de Deus, por Valdemiro Santiago; e Igreja Internacional da Graça de Deus, por R. R. Soares.

Colportores, os bandeirantes da evangelização nacional

A evangelização deste país passou pelo ousado e abnegado trabalho dos colportores, que viajaram o Brasil de norte a sul e de leste a oeste, a pé ou em lombo de animais, carregando cargas de Novos Testamentos, folhetos, Bíblias e livros evangélicos.

O reverendo Frederick Glass, o maior gigante da colportagem no Brasil, percorreu mais de oito mil quilômetros a cavalo ou a pé, vendendo Bíblias, pregando, polemizando e levando vidas a Cristo.

Nessas viagens, esses bandeirantes da evangelização nacional sofreram emboscadas, tocaias e bárbaras perseguições. Até mesmo os capangas do rei do cangaço, Virgulino Ferreira, cognominado Lampião, foram abordados pelos colportores.

Nessa empreitada de consequências eternas, os heróis de Deus jamais recuaram. Enfrentaram homens maus, feras, doenças, epidemias e adversidades de toda sorte para levar a palavra de Deus aos palácios e às choupanas, aos homens das metrópoles e aos caboclos do campo, deixando para trás um rastro luminoso de abundantes frutos e um exemplo a ser seguido.

Perseguições aos protestantes

Em vários lugares de nossa pátria, a grei protestante enfrentou duras perseguições. Massas enfurecidas, insufladas pelos padres, muitas vezes insurgiram-se contra os crentes, queimando templos, rasgando Bíblias e provocando grandes transtornos.

O reverendo Mattathias Gomes dos Santos enfrentou, em Alto Jequitibá, Minas Gerais, perseguidores fanáticos. Ele resistiu com homens armados e oração. Por isso, foi chamado de o Neemias da Zona da Mata.

A Igreja Presbiteriana de Santa Margarida, Minas Gerais, recebeu uma chuva de pedras em procissão de desagrado, enquanto os crentes reunidos em conferências evangelísticas cantavam com entusiasmo: "Chuvas de bênçãos teremos. Sim, é a promessa de Deus".

A Igreja Presbiteriana de São José do Calçado, no estado do Espírito Santo, foi organizada em 10 de março de 1907 e incendiada por uma turba insuflada pelo padre Tommasi, cinco dias depois da inauguração.

Em São Bento do Una, Pernambuco, por ordens do padre, tombou o mártir do presbiterianismo Manoel Corrêa Villela, por oferecer o peito crente contra o punhal homicida, vibrado contra o dr. George Butler, médico e missionário.

Em 1921, o padre Otto Maria atiçou o povo contra o pastor André Jansen em Aparecida do Norte, São Paulo. O pastor foi preso, enquanto o templo evangélico foi incendiado, com a cumplicidade das autoridades locais.

Foram muitas e bárbaras as perseguições dos seguidores e capangas do famoso padre Cícero Romão Batista, de Juazeiro do Norte, no Ceará, causando estragos e baixas nas frentes evangélicas. Também o frei Damião, na Paraíba, perseguiu com fúria os protestantes.

Este é apenas um pequeno resumo da saga do povo evangélico nesta terra. Que possamos honrar nossos pais na fé e continuar hasteando o pendão real do evangelho!

A implantação da igreja evangélica neste país foi feita com oração, trabalho árduo, lágrimas, sangue e morte, cumprindo o que diz Salmos 126:6: *Quem sai andando e chorando, enquanto semeia, voltará com júbilo, trazendo os seus feixes*. Estamos nós, alvos do ardor missionário de outros povos, dispostos a investir agora para que outras nações não alcançadas sejam ganhas para Jesus?

Permita Deus que sejamos hoje instrumentos e cooperadores de Deus nesta empreitada de consequências eternas.

Conclusão

Certamente você teve a clara percepção de que apenas arranhamos superficialmente esse magno assunto. Como penetrar nas profundezas dessa matéria? Como mergulhar nesse oceano inexaurível do conhecimento e da sabedoria de Deus? Como conhecer intensa e extensivamente os atos e as intervenções soberanas de Deus na história?

O que propusemos destacar, e isso com grande ardor, é que o mesmo Deus que fez maravilhas ontem pode fazer hoje também. Deus não mudou. Ele não abdicou do seu trono nem do direito que tem de fazer todas as coisas conforme o conselho da sua vontade.

Deus não abriu mão do seu poder. O tempo dos milagres não acabou, pois Deus não está de viagem nem está dormindo. Ele não está aposentado nem senil. Deus é o mesmo de eternidade a eternidade. Ele é imutável.

Isso deve gerar em nós a viva esperança de que, se ele fez maravilhas no passado, pode fazer hoje também. Se Deus derramou sobre a sua igreja torrentes abundantes do seu Espírito, pode fazer o mesmo conosco. Se várias nações foram sacudidas e soerguidas do caos e levantadas dos escombros e das cinzas por poderosos reavivamentos, devemos crer que Deus pode fazer o mesmo hoje também. Toda a história é um exemplo eloquente dessa verdade incontroversa.

Queremos, por isso, unir nossa voz à clássica compositora evangélica Sarah Poulton Kalley, que num arroubo de poesia cristã cantou:

"Maravilhas soberanas, outros povos têm. Oh, concede as mesmas bênçãos sobre nós também!"

Nosso ardente desejo é que este livro tenha sido mais uma brasa viva no altar do seu coração, a incendiar a sua alma de zelo por Deus, fazendo de você um instrumento para que o mundo continue a ver as maravilhas divinas.

Deus seja glorificado!

Sua opinião é importante para nós.
Por gentileza, envie-nos seus comentários pelo e-mail:

editorial@hagnos.com.br

Visite nosso site:

www.hagnos.com.br